仏教心理学入門

千石真理 編著

晃洋書房

まえがき

日本仏教心理学会の設立は、二〇〇八年一一月三〇日、武蔵野大学で学会設立総会、シンポジウムが開催されました。学会設立者であるケネス田中先生は仏教学者、岡野守也先生は唯識の専門家、井上ウィマラ先生はテーラワーダ仏教の瞑想研究者として、仏教界、教育界、心理学界に橋を架けて下さいました。当時、アメリカで僧侶として活動し、日米で心理学、精神行動医学を学んでいた私は、「今、ここで、すごいことが起こっている！　この日本で仏教の叡智と心理学の知見が融合されることによって、多くの人が救われる。仏教が現代人のために本当に生かされるのではないか？」とワクワクしたのを思い出します。米国と日本を長年往来する中で、アメリカでは禅やマインドフルネス、チベット仏教の瞑想法が人々のストレスを軽減し、浄土教寺院の日曜礼拝では多くの信者が集う。アメリカ人が心の安らぎを得て、ボランティア活動などを通して社会貢献をしているのを見てきました。欧米では仏教の教えが人々の心身を癒し、カウンセリングにも導入され、人々の実生活に役立っています。その一方で、日本では仏教の形骸化が色濃く顕在し、それに伴うかのように、うつ病、依存症や不安神経症などで心身の不調を訴える人が増加し続けていたのです。そんな中、日本仏教心理学会は発足以来、宗派、学派を超えて、医療、教育、福祉、哲学、歴史、それぞれの分野での研究、実践、協働を目指して、活動をしてきました。

この度、本書の企画、編集に至ったのは、仏教心理学について、より多くの方に知っていただきたい、という私の思いに、学会運営委員の先生方が、賛同、執筆して下さったからです。そもそも、仏教と心理学は、成立の根幹が異なりますが、アメリカでは両者がうまく繋がり、実践されている様が、第1章で示されています。続く第2章から7章では、心理療法、カウンセリング、精神分析、教育、医療福祉と、各執筆者が自己の体験等を交えつつ、専門分野に仏教心理をどのように適用しているのかを著しています。

心理学は時代の変化と共に、研究、支援の方法も常にアップデートを重ねて、様々な分野に貢献してきました。仏教では、お釈迦様をはじめとする各宗派の先人たちが、どんなに世界情勢が変わっても、科学が発達しても、変わることのない人間の本質、苦悩から私たちを救うために、生老病死を超える世界を伝えてくれました。この西洋と東洋、現代と古代を繋ぐ仏教心理学は、現代人にとって、混迷の今をどう生きるのか、指針を与えてくれる宝だと思います。本書を通して、「いのち」の支援に携わる方、また、迷い、苦しみを抱えているあなたが、仏教心理への関心を深めて下さるきっかけとなれば、執筆者一同、この上ない幸せです。

日本仏教心理学会第四代会長　千石真理

目次

第2章

仏教と内観
――仏教の智慧でいのちの繋がりに目覚め、今を後悔なく生きるために―― ……27

千石 真理

第3章　森田療法と仏教……山口　豊　56

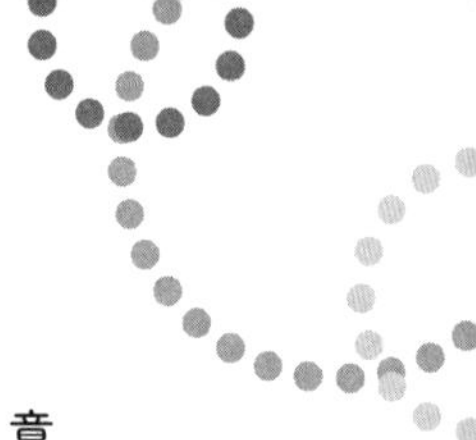

第4章　心理臨床から見た原始仏教……鮫島 有理　85

第5章

佛教とユング心理学
――スピリチュアル・エマージェンシーの観点から――

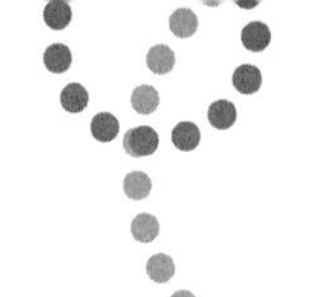

第6章　仏教教育と心理学

――教育実践に示唆する仏教的人間観とは？――　…………　岩瀬　真寿美　145

第1章

発展するアメリカ仏教
——心理学・心理療法を窓口として——

武蔵野大学名誉教授　ケネス　田中

1　急増するアメリカ仏教徒

この章を執筆するにあたり、まず、アメリカ仏教の発展について説明したい。

「仏教の各宗派が、世界で最も多く集まっている都市は、どこですか?」との問いに、どう回答するだろう。答えは、バンコクでも京都でもなく、何と、ロサンゼルスである。現在、このアメリカ第二の都市に、東南アジア、チベット、中国、韓国、ベトナム、日本等から、百を超える宗派が集い、共存している。

この現象が示すように、仏教（Buddhism）はアメリカ合衆国で発展している。約2600年前、東洋で誕生した宗教が、西洋の超大国で、多くの人の関心を集めているというのは、非常に興味深いできごとであると言わざるを得ない。

仏教は、キリスト教とイスラム教と並んで世界三大宗教の一つで、世界の仏教徒数は、約5億人といわれている。仏教徒の大半は東南アジア、中央アジア、そして日本を含む東アジアに存在するが、仏教は近年、アメリカを始めとする欧米諸国においても確実な発展を見せている。ちなみに、ヨーロッパの仏教人口は約百万人と推定される（Baumann 2002）。

アメリカで仏教が発展していると聞くと、多くの日本人は、「アメリカはキリスト教の国だったのではないのか？」と不思議に思うだろう。もちろん、アメリカ人の多くはキリスト教徒であり、今後もキリスト教が宗教の主流を保っていくのは確実であろう。ただ、２０１９年の調査では、キリスト教徒の全人口は、１９７０年代半ばの91％から、65％まで減少している。※1

１９６０年代頃から急速な発展を見せた現在の仏教は、以前と違って「アメリカの宗教」として受け入られるようになってきていると言える。アメリカ宗教研究の専門家であるハーバード大学のダイアナ・エック（Diana Eck）教授は、「今日、仏教はアメリカの宗教である」（Today, Buddhism is an American religion.）と断言している。※2

アメリカの仏教徒は約３３０万人と推定され、これは、アメリカ合衆国の人口の約１％に当たる。しかし、これに、正式な仏教徒ではないものの仏教に何らかの影響を受けている人たちを含めれば、この数字は、数倍にまで跳ね上がるだろう。最近の調査によれば、仏教に何らかの影響を受けたというアメリカ人は、約２５００万人という驚くべき数となっている（Wuthnow 2004）。

この著しい仏教の発展は、アメリカのカリフォルニア州で育った筆者も肌で感じていた。１９６０年代の前半は、筆者の中学と高校時代にあたる。当時仏教といえば、殆ど知られておらず、一般の人は「おへそを眺めながら瞑想をするアジアのカルト」という程度の認識でしかなかったようだ。そのような環境に育った筆者は、「あなたの宗教は何ですか？」と聞かれた時でも、「私は仏教徒である」

(I am a Buddhist.) とは言うことはできます、「私は仏教の教会に行っています。」(I go to a Buddhist church) と答えたのである。二つの答えはほぼ同じ内容に聞こえるため、筆者の仏教徒としての引け目を巧みにカバーしてくれた。

しかし、わずか約15年後の70年代後半になると、この状況は一変した。特に知識人の間では仏教への関心が高まり、仏教の公演に参加する人々の数も増加した。例えば、ダライラマ師の公演には何千人という観衆が、アメリカ各地で集まるようになった。そして、一般社会でも、仏教に好感を持つ人が増加したのだ。このような時勢に、アメリカで育った筆者の三人の子どもたちは、私と違って仏教徒としての引け目なく、堂々と「I am a Buddhist」と言えるように育つことができた。

アメリカ仏教の将来を考えるにあたって、私見としては、「アメリカの宗教」として定着しつつある仏教が衰退するとは考えられない。また、今まで以上の著しい発展がなくとも、アメリカ社会への仏教徒の影響力は、現在の人口の約1%の割合より、もっと大きいものとなりつづけると思う。これは、ちょうど日本のキリスト教徒が人口の同じ1%を占めながら、著書や布教などの活動を通して強い影響力を持ち、日本社会へ貢献しているということと似ていると言える。

このようなアメリカ仏教の著しい発展には、いくつかの原因がある。その中でも主な原因としては、①マインドフルネスに代表される瞑想の人気、②進化論などを否定しない科学との類似性、そして、③心の探究を追求する心理学・心理療法との共通性を挙げることができる。本章では、第三の原因に光を当て、仏教と心理学の関係のあり方を探求する。「アメリカで起こることは、いずれ日本でも起こる」ということからも、日本の読者に興味を持っていただけることを願っている。

2 仏教の窓口となる心理学・心理療法

二〇世紀の初頭のできごと。ハーバード大学で心理学の講義をしていたウィリアム・ジェームス教授（William James, 1842–1910）は、聴衆にスリランカからの有名な仏教者アナーガーリカ・ダルマパーラ（Anāgārika Dharmapāla, 1864–1933）がいるのに気が付いて、「どうぞ私と代わってください。貴方の方が私よりも心理学について講義する資格があります。」と言って、ダルマパーラ師に講義を依頼した。その講義が終わった段階で、アメリカ史上初の心理学の教授であったジェームス教授は「これ（仏教）こそ25年後に、皆が勉強することになる心理学です。」と発言したという（Fields 1992）。

約120年経った今日、心理学と仏教は密接な関係にあり、アメリカが仏教を導入していく大きな窓口の一つとなっている[※3]。これを裏付けるかのように、南方仏教系のインサイト・メディテーションの教師の三分の一は、セラピスト等の心理療法の分野の専門家でもある。また、この団体の主な指導者の一人である心理学博士ジャック・コーンフィルド氏は、次のように宣言し、心理学の役目を高く評価している。

西洋の多くの「仏教という」スピリチュアリティを求める学生や先生達がスピリチュアルな生活を送るには、心理療法を導入することが手助けになり、または必要である。未だこのことを実行していない人は、そうする事できっと良い効果が出ると思う[※4]（Kornfield 1993, 244）。

また、今日、何千もの心理学と仏教の本がアメリカで販売されているという事実も、心理学が重視されていることを証明すると言える。[※5] その中でも、非常に注目されているのは、マーク・エプスタイン医師（Mark Epstein, 1953–）の著書 *Thoughts without a Thinker: Psychotherapy from a Buddhist Perspective*（『思う人なきの思い――仏教的観点からの心理療法――』[※6]）による、心理療法を仏教の立場から解説した本である。エプスタイン医師については、後ほど詳細を述べることにする。

3 精神分析と仏教

実は、前述のジェームス教授による「仏教は25年後には、皆が勉強する心理学になる」という予言は実現しなかった。ジェームス教授と仏教に共通する内省的なアプローチは、科学的客観性を重視する心理学界から歓迎されなかったからだ。それに関連したもう一つの理由は、その後精神分析が心理療法の主流として登場し、その開祖であるジークモント・フロイト（Sigmund Freud, 1856–1939）が宗教、特に東洋の宗教に否定的であったからであると言える。

フロイトは、東洋宗教の神秘的体験を「幻想」や「大洋的感情」（Oceanic Feeling）と捉え、それは原始的、欲動的な興奮や態度に他ならないと考えた。言い換えれば、赤ん坊のように、自己と他者の区別がついていない、一次的なナルシシズムへの退行に他ならないの理解しなかったのである。このような状況の中で、二十世紀前半には、仏教に関する心理学の動きはほとんど見られなかった。

ただ、フロイトの精神分析から派生した中から、カール・ユング（Carl Jung, 1875–1961）、カレン・

ホーナイ（Karen Honey, 1885–1967）、及びエーリッヒ・フロム（Erich Fromm, 1900–1980）などが、仏教を含む東洋の宗教に興味を示すようになった。その結果、第二次世界戦争後の仏教と心理学の関係の隆盛に貢献したのである。

ユングは、宗教的要素を積極的に取り入れ、仏教に関しても色々な発言をしている。例えば、個性化が最も充実したレベルの象徴的表現はマンダラ（曼荼羅）であり、ノイローゼ患者が回復してくると、丸や四角形をさかんに書くようになると報告している。また、『東洋的瞑想の心理』で浄土教の経典である『観無量寿経』の十六観を説き、これが本当に分かったならノイローゼも治ると主張した（ユング 1983）。仏教者を代表する鈴木大拙や久松真一とも深い交流があったという。

ホーナイに関しては、特に鈴木大拙と禅思想の影響を受けたことが知られている。また、最近日本でもよく耳にする「自己実現」（self-realization）という言葉を提唱した一人であることでも知られてる。またフロムは、１９５７年、メキシコ市の国立大学精神分析研究所主催の「禅仏教と精神分析」のシンポジウムに参加し、その成果を基に『禅仏教と精神分析』という当時としては、非常に画期的な本を鈴木大拙等と著している（Fromm 1960）。フロムは、座禅も行なっていた、ということが示すように、充実した人生を送るために宗教体験の重要性を認めていたことが窺われる。

4 トランスパーソナル心理学

このようなユング、ホーナイ、そしてフロムによる成果は、フロイトの精神分析療法とは異なった心理療法を生む土台の一つとなった。精神分析療法は、人間の欠点や病気（ヒステリー、ノイローゼ等）や罪に関する多くのことを明らかにしたが、人間の潜在能力、美徳、達成可能な望みなどには、関心を示さなかったのだ。これらのためには、高度で健全な人格も対象とする必要があると考えた新しい心理療法は、人間性・実存心理学、およびヒューマン・ポテンシャル・ムーヴメントとして、60から70年代に発展し、心理学界の主流を占めていた精神分析および行動主義心理学と肩を並べる第三勢力となった。この第三勢力の流れの発展には、エーブラハム・マズロー（Abraham Maslow, 1908–1970）やカール・ロジャース（Carl Rogers, 1902–1978）が大きく貢献をしている。

この人間性・実存心理学は、60年代の人種人権運動やベトナム反戦運動とも交流し、カウンター・カルチャー的要素を伴い、社会制度や価値規範に対する問い直しを促進した。このような社会情勢の中で、新しい心理学は「真の自己」や「理想社会」ということを求め、そこには「個人の悟り」や「社会平和」を掲げる仏教と通ずる一面があったと言える。その中でも仏教と強い関係があったのは、トランスパーソナル（transpersonal）の台頭である。

トランスパーソナルの「トランス」（trans）とは、「超越」で、「パーソナル」（personal）とは、「自己・自我」という意味である。従って、トランスパーソナルとは、「自己超越」という意味であり、それは、①プレ・パーソナル（未自我）、②パーソナル、③トランス・パーソナルという人間成長のフル・サイクル中の第三段階のことを指す。そして、このトランスパーソナルの段階では、個人性を超えた他者・共同体・人類・生態系・地球・宇宙との一体感が確立するので、宗教的体験や世界観が十分に含まれている。ここでこそ仏教を含む東洋の宗教や古代の神秘主義が重んじられたのである。

この点では、従来の科学的方法を取る精神分析と行動主義心理学とは明らかに異なる。しかし、トランスパーソナルは、科学や理性を排除せず、特にパーソナルの段階で認めている。したがって、トランスパーソナルは二つの局面を含んでいる。一つは、近代的個人の正当な面（科学・理性・批判性）であり、二つは、古代の英知（宗教・霊性）である。トランスパーソナル心理学は、正当な自我は認めるものの、自我の確立で終わるのではなく、自己超越を目的にし、またそれは生まれつき可能であり、その成長は適切な幅広い種々な方法で促進できると主張する。

トランスパーソナル心理学を代表する中で、仏教との関りが非常に強いのは、ケン・ウィルバー（Ken Wilbur, 1949–）であろう。彼は、青年時代には宗教的なものには一切興味がなく、自然科学を好み、大学で生物科学の専攻を目指していた。しかし、医学部の大学院に進学後間もなく、偶然中国の古典『老子』に出遭った。その冒頭にある、「道の道とすべきは常の道にあらず……」の一節に全く予想だにしなかった衝撃をうける。その時、まったく新しい、異世界にさらされているかのように、世界観が根本的に転変し始めたのだ。その後数ヶ月間、ウィルバーは、道教と仏教の入門書に没頭したという。

このような体験から探求が始まり、その成果として、ウィルバーは数々の本を出版し、特に第三段階のトランスパーソナルの意識に付いて詳細な解説をした。この自己超越段階を、ケンタウロス、微細、元因、アートマンという四つの宗教・神秘体験のレベルに分け、その最高のレベルであるアートマンは、悟りの領域を指すものである。アートマンも、形のない純粋な目覚めに留まっておらず、その形のないものがそのまま形のあるこの世界と一つである、という悟りとなる。これこそ、『般若心経』の「色即是空、空即是色」の境地である（岡野 1996, 197–240）。

このようにウィルバーの意識の解説には、仏教の悟りの領域が含まれてる。それも最高レベルとして、ということは、ウィルバーが代表するトランスパーソナル心理学が仏教を高く評価し、仏教導入の重要な窓口として、トランスパーソナル心理学が役割を果たすことになっていると言えるのだ。また、ウィルバーが仏教に興味を持ち、メディテーションを行なっていることも、多くのアメリカ人に、仏教と心理学がより密接な関係にあるというイメージを強化してきたと言える。

このイメージを一段と高めたのは、トランスパーソナル心理学者以外にも存在する。その代表的な人物と著書を、次に見ていくことにする。

5 仏教徒の精神科医

前述の精神科医マーク・エプスタインは、1995年の『思う人なきの思い——仏教的観点からの心理療法——』を出版以来大きな反響を呼び、本書は専門家の間でも高く評価され、好調な売り上げが続いている。このことは、心理学・心理療法における仏教の役割の拡大に貢献してきた。また、長年仏教徒であり精神科医でもある人が、どのように仏教、特にテーラヴァーダ系のメディテーションを、精神分析に取り入れているか、という点が、この本の興味深いところである。

エプスタインは、人々は仏教に惹かれるが、仏教の正しい理解や日常生活への応用は、上手くできていないと感じているという。そして、未だ仏教は、エキゾチックなイメージに包まれている点があると見ている。彼によると、この状況は仏教が中国に最初に紹介された時と似ているのだそうだ。仏教は、道教によって中国化され、禅が誕生した。今日のアメリカでは、精神分析療法の言葉や考え方が普及しており、これによって仏教の英知がアメリカ人に伝えられるとエプスタインは期待を膨らませている。

フロイトが仏教を含む東洋神秘主義を「幻想」や「大洋的感情」にしか過ぎないと批判したことは、前述したが、エプスタインは、それはフロイトが仏教メディテーション特有である観察的・分析的な面を知らなかったからである、と言う。仏教メディテーションは、心理からの神秘主義的逃避ではなく、全ての心理の面を観察の対象とする。世間否定ではなく、日常の心の観察であり、これこそ、心理学的であると、エプスタインは主張する。その際、この仏教メディテーションとは、主に彼自身が長年行なってきたテーラヴァーダ系の瞑想法のことを指す（前掲書、2–4）。

エプスタインは、この数十年、精神分析療法もその範囲や深さも進展してきたと見ている。心の問題の原因も以前のように性や攻撃欲求に留まらず、「自己」の探求にまで着目するようになってきた。その理由は、「自己」を知らないということから不安になるということが徐々に解ってきたからである。この不安とは、別な言葉では「ナルシシズム的ジレンマ」（narcissistic dilemma）と言い、人は虚無感や虚偽感に陥り、他人や自分を常に理想化する、または批判するという心理的問題を起こすことになる。このように、精神分析療法は、精神苦悩の問題を突き詰めたのは良いが、その簡明な解決法がまだ見付かっていないと、エプスタインは分析している（前掲書、6–7）。

しかし、エプスタインによると、仏教はその解決法を既に持っている。自己の本性を見つめ自己が作りあげる苦悩を終わらせることを目的とする仏教は、とっくにこの問題意識とその解決法を持っていたのだ。西洋の心理療法は、近年になって、ようやく自己の問題に取りかかり始めたのであるが、仏教のような全体的見地を有さないと考えているのである。そこで、精神分析者の多くは、１２０年前にジェームス教授が予言したように、ようやく仏教に目を向けるようになってきた、と言える。

『思う人なきの思い』は、この精神分析者たちの関心に答えようとするものであり、「仏陀の心理学の心」(The Buddha's psychology of mind)、「メディテーション」(meditation) および「セラピー」(therapy) という三つの部門から構成されている。ここでは、第三部の「セラピー」で説かれる仏教のメディテーションと心理療法の協力関係を要約することにする。

まず、エプスタインは、アメリカで仏教を求める人々の中には、疎外感を強く感じている人が多いと指摘している。この西洋人特有の疎外感 (estrangement) とは、取り残され、疎遠にされ、孤立していて、空しく感じ、また、手が届かず、少し怖く感じるような愛情に憧れ、求める気持ちであると、エプスタインは説明する。言い変えれば、彼らは自分自身の自己評価が低いので、自己尊重度が低い (low self esteem)、また、自分が愛される価値がないと思い込んでいる。エプスタインによると、この原因は、個性と独立の強調、親族の支援や、時には核家族関係の崩壊、子どものやることに常に満足できない親、および、愛情より努力や成功を優先しすぎる所にあると見ている (前掲書、170–178)。

それと対照的に、エプスタインは、東洋人には束縛感 (enmeshment) が強いという。そこには、家族、カースト、そして他のグループの上下関係や期待に縛られているという面がある。そのような中で、宗教の道は、西洋人と同じように自己の探求であるが、社会が容認する「プライバシー」を求める場」でもあると言う。そして東洋人には、他人への同情的意識、自我と他者の境界の弾力性、情的感受性、そして強い所属感という文化的要素を自然に備えている。従って、仏教のメディテーションは、このような東洋人の心的要素を前提として成立していると、エプスタインは指摘している（前掲書、176–177）。

そこで、先述のような疎外感のあるアメリカ人がメディテーションを行うには、限界があると指摘する。メディテーションは、よく心的障害の原因となる過去の問題を思い出させて浮き彫りにするが、それに対処する方法を持っていないのだ。アジアで育った東洋人のメディテーション指導者は、この問題には対処できないと言う。指導者たちは、そのような訓練も受けていなければ、西洋人特有の疎外感に関する問題も体験していないからだ。

エプスタインは、メディテーション経験の有無にかかわらず、心的障害を持つ人にはセラピーが必要であると言う。精神分析療法、セラピーができることは、例えば、幼児期での不足点、あるいは、性や攻撃欲求を自覚し、それを減少することが含まれる。しかし、それだけでは、ある程度の解決はするが、人間のナルシシズムの欲求からの解放は実現しない。フロイトは晩年に、この精神分析療法の限界に気づいていたようだ。しかし、エプスタインは、仏教が明らかに、この限界を超えると期待をしていた（前掲書、178–180）。

そこで、本の「セラピー」部門で、フロイトが説いた「思い出す（remembering）、繰り返す（repeating）、成し遂げる（working-through）」という枠組みを導入し、その中で、仏教のメディテーションがどのように心理療法を手助けできるかを説明している。

最初の「思い出す」の中では、フロイトは三つの方法で過去の問題を患者に思い出させた。その三つとは、①精神浄化（cathartic）。催眠術よって患者に思い出させる。②自由連想（free association）。意識的に自然に連想させる、および③正に今（immediate present）、治療中起こっているセラピストとのやり取りを通して思い出すこともある。この中の第三の immediate present の方法の最中、メディテーションを採用することで、良い効果が得られるとエプスタインは主張する（前掲書、163–170）。

次の「繰り返す」でフロイトは、患者が繰り返すということは、問題点を演じているだけで、意識していない場合が多いということに気づいた。例えば、ある女性患者は子どもの時、父親から厳しく批判されたのが原因で、大人になっても充実した人間関係が築けない。しかし、彼女自身も他人に対して非常に批判的になっていたのだ。しかし、彼女は、自分が批判的な人間になっていることを演じているだけで、意識していないのである。そこでエプスタインは、このことを単に言葉で説明や解釈することのみでなく、メディテーションによって患者が自分が繰り返し起こす行動を意識し、今起こっている自分の感情を拒否せず体験してもらうようにした（前掲書、181–183）。

最後の「成し遂げる」とは、悩まされてきた過去からの怒りや恐怖などの感情を無くすのではなく、自分のその感情への意識を変えることである。意識を変えるために、悩まされている感情をはっきりと意識する必要があると理解させるために、エプスタインは、仏教のメディテーションを適用してきた。

その際、悩まされる感情を抽象的、客観的に捉えるのではなく、「自分が感じている、自分のもの」という自分が体験している自分の問題として主観的に意識を持ってもらうことによって、悩まされている感情もより明らかになり、見え易くなるのだ（前掲書、203–222）。

この悩まされる感情が見え易くなっても、現在の心理療法では、その感情を消滅させることはできない。この点は、フロイトも認めていたことである。[※7]しかし、仏教は心理療法ではできないこのことを成し得るのだ。それは、仏教の叡智とメディテーションを実施することである。エプスタインによると、仏教が主張する無実体性（無我）の視点で「我」を見つめることによって、固執する「我」が絶対的でないことに目覚めることができる。

換言すると、悩まされる感情の基となる「我」が相対化されると、感情も相対化されてくる。「我」には実体がないという智恵が深まれば、以前のように嫌な感情に悩まされなくなる。エプスタインは、仏教も完全に感情を消し去ることはできなくても、心理療法よりも有効に軽減することができ、これこそ仏教が心理療法に貢献できる重要な点であると主張するのである（前掲書、203–222）。

6 「目覚め」と「実現」の融合

次に、セラピストとしてこの分野で高い業績を上げているジョン・ウェルウッド（John Welwood, 1943–2019）の考察を中心としながら、仏教と心理学の関係における新たな側面を見ていくことにする（Welwood 2000, 125–129）。ちなみに、ウェルウッドも仏教徒であり、三十年以上チベット仏教の実践に励んできた。

ウェルウッドは、仏教はスピリチュアル、そして心理学は心理を領域とするので互いが目的を異にすると述べる。この「スピリチュアル」とは、無限で、普遍的で、そして絶対的真実をその領域とするのに対し、「心理」とは有限で、個人的で、そして相対的真実をその対象としていると考える。二者はこのように異なっているものの、特に現代アメリカ人には、両者が必要なのであるとウェルウッドは見ている。ウェルウッドによれば、スピリチュアルの道には「目覚め」(realization)と「実現」(actualization)の二つの側面があり、「目覚め」は相対的な領域から絶対的な領域への突入であるが、「実現」とは逆に絶対的な領域から相対的な領域に戻ることである。例えば、リトリートなどである程度の「目覚め」を体得し、全ての問題が解決したかのように思えるが、家族や仕事という日常生活に戻ると、実際には、以前の好き嫌いや偏見という自分の欠点は一向に変わっていないということに気付き、落胆するのは、多くの人が経験することである。

しかし、このような「悩み」は伝統的なアジアの仏教においてはほとんど見られなかった問題であったと、ウェルウッドは主張する。なぜなら、現代化以前のアジア諸国の社会では、出家修行者たちが社会的責務を逃れても、人々は彼らを尊敬し、支援する環境が整っていたからである。それとは対照的に、アメリカで仏教を求める人たちは、ほぼ全員が家族を持ち社会で仕事をもつ「在家者」である。また仏教徒の数が未だ少ないため、コミュニティー全体の支えが不可欠となる、日常の托鉢などの習慣をサポートする社会的基盤も盤石ではない。この上に、仏教やキリスト教に関わらず、アメリカ社会において宗教・スピリチュアリティ全体に関して、その本質が弱まってきていると、ウェルウッドは洞察している(前掲書、43–45)。

このように社会的基盤がスピリチュアルな面を受け入れて支えることに、比較的弱くなってきたからこそ、心理学の重要な役目があると、ウェルウッドは主張する。その役目とは、先述のスピリチュアルの「目覚め」に対する「実現」の側面を促してくれるということである。これがどのように為されるかというと、セラピストとクライアントという心理療法の形態を通して、クライアントが個人的な心的状況を仏教の普遍的な教えに照らしながら、個人のレベルで理解し活かしていくのだ。また、必ずしもセラピスト・クライアントという関係の中だけではなくても、心理学の知識は、一個人が相対的な日常生活の中に、普遍的な仏教の教えを具現化することの手助けになるのである。

ウェルウッドもエプスタインのように、アメリカ社会に心的障害者が非常に多いと感じており、彼らが仏教を求めるには心理療法が一段と重要になってくると、指摘している。この中には幼い頃に親との密接な関係を持つことを意味する「支えられる環境」(holding environment) に欠けている大人がかなり存在している。この彼らの環境は、親が幼い子を常に抱いたり、いっしょに寝たりするボンディングが強いアジアの文化とは対照的なのだ。また、分裂した家庭内で、真実性に欠けるテレビ番組にさらされて育ったアメリカ人もかなりの数である。このように、「支えられる環境」が弱まった社会に育った人々は、現代社会病と言われる貧弱な自己に悩ませられるのである。それは、自己嫌悪 (self-hatred)、不安 (insecurity) および自己懐疑 (self-doubt) という心的障害として表れている (前掲書、45)。

実は、アメリカで仏教を求めている人々の中には、このように悩む人が非常に多く、リトリートに参加する人の半分を占めると言われている (Fronsdal 1998, 170)。ウェルウッドによると、彼らはしばしば自分の心的障害を避け、仏教の教えや修行を利用して自分を正当化しようとすると言う。

ウェルウッドは、これを「スピリチュアル　バイパシング」(spiritual bypassing、宗教を理由に自己の問題を避けること) と呼んでいる。例えば、自己嫌悪や不安の障害に悩む人が、人間関係が恐いがために人から離れ、孤立するのを、彼らは自分の行動を「無執着」(detachment) や「放棄」(renunciation) という仏教の教えを利用して正統化するのである。しかし、彼らが本当に求めているのは、人との深い触れ合いであり、そのニーズが満たされなければ、いくら修行をしてもスピリチュアルな効果はみられないのである。したがってまず始めには、彼らの心的障害に目を向けなくてはならないのである(Welwood 2000, 46–47)。

このような「スピリチュアル　バイパシング」とよばれる現象は、他にも色々な形で表れる。例えば、自信が無くて、他人を喜ばすことによって安心や自己評価を得ている人達は、往々にして「無我」の真意を誤解し、「我を忘れ」無我夢中になり、異常なほど献身的に社会や師のために尽くすのである。

別の具体的な例では、ウェルウッドのクライアントである女性が結婚問題の悩みで、彼女の仏教指導者にアドバイスを求めた時のことである。その女性の師の答えは、主人には怒りではなく、慈悲の心を持って彼の友達のようになりなさい、ということであった。ウェルウッドは、これは仏教の絶対的視点からのアドバイスとしては良いかもしれないが、彼女の現実問題は無視されていると見た。絶対的視点では、慈悲心は怒りより優先されるべきであるが、日常生活の相対的観点からではそうではないからである。

彼女は、父に虐待を受けながら育ち、父に対する怒りを長年抑えてきたという経歴を持っていたのだ。したがって、その環境の中で、彼女は気持を抑え、常に「良い子」のふりをして、他人を喜ばせていたのである。だから、「怒りではなく、慈悲の心を持て」というアドバイスを受けた時、彼女は安堵した。それは彼女にとって、内在する「怒り」を認めるという事が大変恐いことであったからである。

しかし、問題はまったく解決されておらず、心の中の怒りは治まらず、彼女を苦しませ続けた。そこで、ウェルウッドは彼女のセラピストとして、自分の怒りを避けるのではなく、しっかりと向き合ってもらうことに努めたのである。それによって、彼女は次第に自己に内在する力を発見し、その力を養うことによって、夫ともっと対等に本音で付き合えるようになることを目標とした。そしてそのプロセスの中で適切な時期が来た段階で、ウェルウッドは、彼女に「怒り」とは波のようなものであり、実体を欠くものである、という仏教の教えを、彼女の仏教指導者のもとで実践してもらおうと考えたのである（前掲書、47–48）。

これこそが、ウェルウッドが理想とする心理学・心理療法と仏教の関係である。要約すると、二種類の関係が成立すると考えられる。まず一つ目は、心的障害を持つ人たちに対する処置法としての心理学である。これは、仏教に取りくむ前段階、または心理セラピーと平行して行なわれます。ただ、ここで注意を要するのは、心理学を必要とするのは、重い心的障害者だけに限らないということである。「普通」の人にでも「スピリチュアル　バイパシング」という現象は、多かれ少なかれ、起こるからである。

そして二つ目には、仏教における「目覚め」（幅広い意味での）を日常生活の中で実現するための心理学の導入である。伝統仏教の教義はほとんどの場合、普遍的なレベルに留まっていて、個人的な現実生活のレベルでの考察はほとんどなされていなかったと言えよう。個人の体験が語られても、それは常に絶対的真実を基準としていたからである。しかし現代では、日常世界という相対的レベルでの仏教の証の「実現」が求められているのだ。それは、特に宗教に対して大きな期待を持つアメリカ社会では、避けられない課題であり、だからこそ、心理学との関係が重視されるのである。

7 ABC論理療法を持って仏教の相対化

ウェルウッドが述べたように、アメリカでは日常世界という相対的レベルにおいて、仏教の「実現」が絶対的な証として求められている。特に宗教に対して大きな期待を持つアメリカ社会では、これは避けられない課題であると考えられる。しかし筆者は、このことはアメリカ社会に限らず、現代社会自体が宗教に求める傾向だと見ている。そして、日本を含む先進国では、この傾向が、特に著しくなっている。この傾向を実現するためには、心理学の知恵と方法を導入することが勧められる。

筆者は、仏教学者・僧侶として、近年アメリカで講演を行なってきた際、まさにウェルウッドが勧めていることを、自分私なりに実施してきた。この章のこれまでの内容とは、視点や趣がやや異なるが、筆者が実際にアメリカ人を対象に工夫して説いた一例を述べたい。これこそ、アメリカ仏教における心理学の導入という具体例となると思う。

仏教からは「四法印」という基本の教え、そして心理学からは「ABC論理療法」という思考方法を採用した。四法印とは、仏教徒が仏教を代表する独自的な教えとして愛用してきたもので、筆者は現代人にとっても非常に有益な人生観を提供する教えとして高く評価している。

このＡＢＣ論理療法とは、アメリカの臨床心理学者アルバート・エリス（1923–2007）が提唱したもので、これに基づき、日本人生哲学感情心理学（Japanese Association for Rational Emotive Behavior Therapy）という学会まで発足している。このＡＢＣ論理療法は、今日、日本では非常に注目される認知行動療法の前身となったものであると言えよう。これは、一般現代人にとって、人生に訪れる様々な困難の出来事に、四法印をもって対応する際、大変有効な思考方法となると思う。

まず、四法印の（１）漢語と、（２）筆者による現代人のための解釈的表現は以下の通りとなる。このような一般的な表現も、ウェルウッドが勧めているように、普遍的な仏教の教えを日常世界という相対的レベルでより有効に活かしていく営みの一面として見ることができる。

① **一切皆苦**（人生は凸凹道）

ブッダの悟りの視点からは、凡人の出来事・現象の全てが苦であると見える。「人生は凸凹道」一切皆苦の解釈を和らげて表現した。

② **諸法無我**（人生は縁起）

出来事・現象（諸法）において、単独で生じて単独で存在するもの（我）は無く、諸法は全て他に依って起こる。

③ **諸行無常**（人生は無常）

出来事・現象（諸行）は、常に存在しない（無常）である。

④**涅槃寂静**（人生は良いもの）

悟り（涅槃）は、穏やかで落ち着く（寂静）状態である。「人生を良いものにすることができる」は、苦悩が解消された状態こそ、人生が「良いもの・well-being」になることを強調するための表現にした。

次に、心理学のＡＢＣ論理療法を見ていく。※8

Ａ．**出来事**（Activating event）

Ｂ．**信念**（Belief）・**考え方**

Ｃ．**結果**（Consequence）

このＡＢＣ論理療法の中では、Ｂ（信念）が大切で、Ｃ（結果）として味わう心情が、健全か不健全を決定することになる。そこで、以上の健全的な四法印に対して、次の四つの不健全な見方があり、これらは凡人である人間がもつ自己中心的で本能的な見方だと言える。

四法印		不健全な信念
①**一切皆苦**（人生は凸凹道）	——	人生はスムーズであるべき
②**諸法無我**（人生は縁起）	——	人生は私のものであるべき
③**諸行無常**（人生は無常）	——	人生はいつも同じであるべき
④**涅槃寂静**（人生は良いものにできる）	——	人生はみじめなもの

次に、ABC論理療法の枠を使って、2019年に始まった新型コロナ・パンデミクを「A. 出来事」とします。

A. **出来事**（Activating event）：コロナ・パンデミックが世界中に広がり、我々の生活が一変し、色々な困難が訪れた。

B. **信念・考え方**（Belief）：パンデミックという出来事に対する見方。不健全な見方をとると、「人生はスムーズであるべきだ／人生は自分のものであるべきだ／人生はいつも同じものであるべきだ」となる。

このような不健全な思考で「出来事」であるパンデミックに対応すれば、「何でこんな事が起こるんだ。人生はスムーズであるべきではないか。けしからん！」というような思いが起こるようになる。そして「私がコントロールできるものであるべき、私が納得できるものであるべきだ」と抵抗をしてしまう。そして突然の変化に対して、「いつも同じであるべきなのに、どうしてこんなに悪いことが起るのか」と反発をする。

C. **結果**（consequence）：以上のような信念・考え方を持つことによって、怒り、不安、不満などの状態に陥ってしまう。まさに、健全な心情ではない。

では次には対照的に、仏教の「四法印」という健全的な見方を持って同じ出来事に向き合う。

A. **出来事**（Activating event）：（上記と同じ）

B. **信念・考え方**（Belief）：「人生は凸凹道だ。人生は縁起だ。人生は無常である」という四法印の最初の三つである「健全的」な信念・考え方を持つことにする。まず、「人生は凸凹道だ」という信念で対応すれば、パンデミックが起こったことに抵抗はせず、その事実を受け入れやすくなる。次に、「縁起である」ということは「すべてがつながっている」ということなので、グローバル化した世界では、時には恩恵があるけれども、時には悪い影響を受けてしまう。これが事実なのだ。また縁起であるということは、ものごとは、自分の手を超えて無数の他の原因によって生じるので、自分の力では変えることができず、受け入れなければならない必要性が明らかになり、事実を受け入れる勇気を促してくれる。そして、「人生は無常である」ので、常に変化しているのだという事実を知らせしめてくれる。よく考えるとパンデミックとか流行病は過去にも起こっている。百年前にはスペイン風邪の流行が起こり、日本でも35万人も亡くなっているのである。さらにものごとは変化するので、今の状況が悪くても、先は良くなる可能性が十分あると理解すれば、先に希望が持てるようになる。したがって、以上の三つの健全な信念は、現状を前向きに受け入れる知恵と勇気を与えてくれるのである。

C. **結果**（consequence）：パンデミックは実に大変だが、「ピンチをチャンスに変えよう」というように前向きな気持ちが高まる。そこには、不安や心配などは完全に払拭されないかもしれないが、基本的には落ち着きが感じられる。同じ出来事に対してだが、不健全な信念を持つことより、もっと希望、自信、エネルギーなどが湧いてくるのだ。まさに健全な心情を持つことで、パンデミックには有効に対応することができる。

今回はパンデミックを例に説明したが、日常に生じるあらゆる他の出来事に対しても、この理論を活用することが出来る。人間関係の不和、病気や金銭的な問題などの日常の様々な困難に対し活用できる。このように、心理学のＡＢＣ論理療法を適用することで、仏教の教えを現実の課題により有効に活かすことが可能となると思われる。

論理療法という理性的な枠組みを使い、仏教の普遍的な教えを個人の具体的な体験として活かすことがより可能となるのだ。一般現代人でも理解しやすい思考をもたらしてくれる結果、仏教が遠く離れた神秘的な存在ではなく、日常生活に即して我々の生活を健全なものにしてくれる教えと感じられるようになるのである。

付　記

本章は、『アメリカ仏教』（武蔵野大学出版会、２０１０年）の一部を底本にし、最近の論考を加えたものである。

注

※1　Pew Research https://www.pewresearch.org/religion/2019/10/17/in-u-s-decline-of-christianity-continues-at-rapid-pace/

※2　ビデオ、"Becoming the Buddha in L.A."（WGBH Educational Foundation, 1993)

※3　この点は、安藤治の『心理療法としての仏教』が本全体を通して詳しく解説している。
※4　これは、Fronsdal（1998, 174）に引用されている。
※5　アマゾン書店のインターネット目録を「仏教と心理学」で検索した結果、二千を越す本が掲載され、その中の数百は「仏教」および「心理学」が題名に含まれているという状況である。
※6　Epstein, Mark. *Thoughts without a Thinker: Psychotherapy from a Buddhist Perspective* (Basic Books, 1995). 日本語訳としては、井上ウイマラ訳の『ブッダのサイコセラピー――心理療法と〝空〟の出会い――』春秋社、２００９年がある。
※7　フロイトは悩まされる感情を思い出すことはできても、それを無くすことはできなかったと、エプスタインは言う（Epstein 1995, 204）。
※8　実際に論理療法は、Ｄ（Dispute 論駁）とＥ（Effect 効果）が続き、全部で五つのステップとなりますが、スペースの限界と理解を容易にするため、最初のＡ、Ｂ、Ｃと限定した。

参考文献

Baumann M. 2002. "Buddhism in Europe," *Westward Dharma: Buddhism Beyond Asia*, edited by Charles S. Prebish and Martin Baumann, Univ. of California Press.
Fields, R. 1992. *How the Swans Came to the Lake: A Narrative History of Buddhism in America*, Shambhala.
Fromm E. S., Suzuki, D. T. and Martino, Richard de, 1960. *Zen Buddhism and Psychoanalysi*, Harper & Bros.（佐藤幸治・豊村左知訳「精神分析と禅仏教」『禅と精神分析』、東京創元社、１９６０年）.
Fronsdal, G. 1998. "Insight Meditation in the United States," in Prebish and Tanaka, eds. *The Face of Buddhism in America*.
Kornfield, J. 1993. *The Path with Heart*, Shambala.
Mark, E. 1995. *Thoughts without a Thinker: Psychotherapy from a Buddhist Perspective*, Basic Books（井上ウイマラ訳

『ブッダのサイコセラピー――心理療法と〝空〟の出会い――』、春秋社、２００９年）.

Wuthnow, R. and Cage W. 2004. "Buddhists and Buddhism in the United States: The Scope of Influence," *Journal of the Scientific Study of Religion*, 43(3).

ユング、Ｃ・Ｇ. 1983. 湯浅泰雄・黒木幹夫訳『東洋的瞑想の心理』創元社.

第2章

仏教と内観
――仏教の智慧でいのちの繋がりに目覚め、今を後悔なく生きるために――

心身めざめ内観センター・公立鳥取環境大学　千石　真理

はじめに

内観療法は、浄土真宗僧侶、吉本伊信師の仏道修行「身調べ」を前身として確立し、以降、多くの人々に宗教性を排除した精神療法として適用されてきた。筆者は浄土真宗本願寺派僧侶として、米国ハワイ州で約13年間務め、その間、心理カウンセラーとして、病院チャプレンとして活動をし、アメリカ人への内観リトリートを開催した。現在は日本とハワイで集中内観、内観ワークショップ等を実施している。内観指導者の中には、内観の有効性は認めるものの、宗教、仏教を胡散臭い、非科学的なものと捉え、内観と仏教、浄土真宗との関わりについて切り離したい、という人もいる。しかし筆者の場合は、内観を知れば知るほど、内観と浄土真宗の宗祖、親鸞との関係性がより深く感じられる。内観を実践することにより、仏教、親鸞の世界をより理解できるようになった、と言ってもよい。仏教とは、仏に成るための教えであり、その方法は8万4000通りあるともいわれ、日本の伝統的な仏教には、十三宗五十六派が存在する。本著では、内観療法の概要、臨床について紹介しつつ、内観が哲学的に派生した浄土真宗と開祖、親鸞と内観の関わりについて持論を展開する。

1 内観の成立と展開

内観療法は、浄土真宗僧侶、吉本伊信（1916–1988）が創始した自己探求法である。自己啓発、自己理解を深めるために、精神的に健康な人が自己反省法の一環として行う場合は内観法といい、アルコール、薬物、ギャンブル依存症、摂食障害、抑うつ、不安、脅迫障害を含む神経症や、心身症、適応障害などに精神面の治療として適用される場面には内観療法と呼ばれる傾向がある。

吉本の内観法の前身は、当時、浄土真宗の一派に伝わっていた身調べという修行法であった。身調べでは、信者が信仰を深めるために、数日間一室にこもり、飲まず、食わず、寝ずで、徹底的に自己を調べ上げる。「今、死んだら魂はどこに行くのか？　無常を見つめ、身・命・財を投げ捨てる思いで反省せよ。」と、一日に数回、先輩信者たちが交代で激励に来るという方法であった。吉本は、辛苦の末、22歳、4回目の身調べで転迷開悟の境地に至った。地獄に落ちるほど罪深いことを積み重ねてきた自己を体験的に発見した時、阿弥陀仏の「他の仏が見放した罪悪深重のお前を救わずにはいられない」という誓いは、まさに自分にかけられた願であった、という洞察に至る。懺悔の極みが仏の光に照らされ、生かされている、という感謝の極みに転じられる体験をした吉本は、「この喜び、この感激を世界中の人々に伝えたい。これこそ人生最大の目的であり喜びである。」という境地に達し、身調べの宗教的問いや、難行苦行の要素を取り除き、特定の宗教から離れたひとつの自己探求法として内観を確立した。

現在内観療法は、内観研修所、刑務所、少年院などの矯正施設、企業の研修、精神科、心療内科、終末期医療の現場で、小学校から大学までの教育の現場で適用されている。１９７８年には日本内観学会が設立され、内観の症例や技法の検討、治癒機制や適応対象の選択、他の心理療法との併用など、各側面から研究が行われるようになった。また、我が国で生まれた独自の心理療法として、ドイツ、オーストリア、ハンガリー、ブルガリアなどのヨーロッパ諸国、アメリカ、中国、韓国、スリランカなど、国外でも普及している。

2 内観の方法

内観とは文字どおり、自分の心の内を観ることであり、自分自身を、また、人間の本質をより深く理解することができる。内観法、内観療法の具体的なやり方としては、自分と自分にとって大切な人々、例えば母親、父親、祖父母、兄弟、配偶者、子どもなどとの関係を「していただいたこと」「お返ししたこと」「ご迷惑をかけたこと」という三つの質問にそって調べていく。母親がその頃不在だった人は、母親代わりになって育ててくれた人から始める。また、虐待などを受け、親との内観に抵抗がある人は、当時、自分を世話してくれた人、大切にしてくれた人との関係を観ていく。そして年代順に、生まれてから小学校に入るまで、中学校時代、20代、30代、というふうに、その人との出会いから現在、あるいは別れるまでをさかのぼって調べていく。集中内観では、普通一週間、内観のできる研修所、病院などの施設に入り、一日約15時間、この質問に取り組む。1時間か2時間に一度、面接者が内観研修者のところにきて、今の時間、誰に対し、どのようなことを調べ、思い出したのかを尋ねる。内観者の報告後、面接者は、次は誰々に対するいつ頃の自分について調べるようにと、アドバイスを残して去っていく。集中内観中は、テレビ、ラジオ、電話などの外からの刺激は一切シャットアウトされるので、内観者にとっては面接者のみが唯一、内観を通じて交流できる相手である。

内観指導者としては、自分も内観者と同じ罪深い一人の人間であることを自覚し、内観者の報告に対して批判や非難を避け、傾聴する。しかし、非内観的思考や行動に関しては厳しく明確な指示を与える。謙虚さと厳粛さを保ちながら内観者の自己改革と新生体験への努力と過程に共感し、共に苦しみ、歓ぶ姿勢が必要である。

内観療法には上記の集中内観の他に、日常生活を行いつつ毎日一定時間内観をする日常内観、自分の身体をみつめ、身体や臓器に感謝をして生きるための、治療技法としての身体内観などがある（千石 2012）。

3 内観の心理機制

一週間の集中内観が始まると、日常生活から遮断され、慣れない環境の中に身を置く不安や、過去の出来事をなかなか思い出せない苛立ちを誰もが経験するだろう。三日目くらいから、内観的思考が軌道に乗り始めると、心身が調整されてくるが、人によっては、自分の心の醜さや罪を直視したくないために、自己探求に抵抗を感じることもある。しかし、「してもらったこと、お返ししたこと、ご迷惑をかけたこと」この三つの内観のテーマに沿って実際起こった出来事を相手の立場に立って想起すると、それまで思いもかけなかった自分の本性や、他人の愛情に気づくこととなり、多くの研修者に劇的な認知と情動の変化が起こる。「家族や有縁の人々にこれほど多くのことをしてもらったのに、なんと自分がして返したことが少なかったことか。迷惑をかけ続けて生きてきたのに、許されて生きてきたのだ。」数日間の集中内観が終わると、研修者の多くはこう語り、それまで抱えていた問題の解決や、病気の快方へと向かっていく。中には、大変な環境で育った人もいる。しかし、どんな状況であっても、親なりに精一杯なことをしてくれた、色々な人の助けがあったからこそ、ここまで生きることができたのだ、と受け止めると、人生を肯定的に再認識し、出直すことができる。内観は自己のイメージの中にある他者と和解し、愛と憎しみの自己史を置き換える作業だとも言える。人は愛されている、ということを心から実感できて初めて、安らかな幸福感に満たされる。そして、他者のために生きよう、何かをさせていただこう、という感謝と報恩の念が心の奥底から湧き起る。

4 内観の治療効果

内観は特に精神医療分野で研究が進められてきたが、これまでの先行研究から、内観は他者との絆や繋がり感に関する認知修正法、治療法であると言える。

〝内観により親子相互理解が深まり、関係が改善される。〟（三木 1985）〝ありのままの両親の姿を理解し、抑圧から解放されていく。〟（石井 1989）〝内観は自己のイメージの中にある親と和解し、愛と憎しみの自己史を置き換える作業。〟（喜多 1992）〝遷延性うつ病の要因は早期の父母関係に根ざすといえる。〟（貫名 2005）等、人間関係を内観の三つのテーマで調べ上げることによって、他人に対する信頼度が増し、世界観が安定するものと思われる（千石 2016）。

内観療法はうつ病、適応障害、アルコール依存症等への効果が認められてきたが、トラウマケアとしても適用できる。トラウマ（心的外傷）は、自分が信頼できる存在を見いだせない状態であり、トラウマケアは、信頼できる人に支えられているという安心を実感させ、本人の自然治癒力を支援することである。内観によって、自分は信頼できる人に支えられているという安心感をもってもらうと同時に、再び自分自身の力を感じられるようにする、エンパワメントの支援ができる。被災地でも、有縁の人やボランティアスタッフに衣食住や、心身の状態について親身になってもらう経験など、人と人との温かい心のふれ合いを感じることによって、自分の力も再び実感することができるようになる。回復のキーワードは繋がりである。他者との繋がり、自然との繋がり、自分自身との繋がりを実感できることがトラウマからの回復を支える（神、久間 2016）。人との繋がり、絆を再構築する内観は、トラウマケアとして力を発揮できる。東日本大震災後、亡き母との内観をし、心の整理ができた、という内観者がいる（長島 2023）。しかしながら、通常のカウンセリングと同様、本人が望まないタイミングで聞き出そうとすると、再びトラウマ体験を強制するような二次被害を与えてしまう恐れがあるので、くれぐれも注意が必要である。また一般に、内観研修に不適応なのは、幻覚、幻聴症状がある、被害妄想や非現実的な考えが強い、うつ状態が強く自殺願望のある人、自分を責めすぎる傾向がある人等があげられる。また、向精神薬等を服用しているために内観に集中することが難しい場合は通常の効果が期待できない。うつ症状や不安症状を経験するのは非常につらいことだが、薬物療法では一時的に症状を抑えるだけで、根本的な治療、解決にはならない。本当に人生を出直したいのであれば、まず自分の心の内をしっかりと観る必要があるだろう（千石 2017）。

被災地に限らず、筆者の内観研修所にあっても、話を聴いていくと、現在の不調の原因は子どもの頃、親に手を上げられた記憶であったり、部活動のコーチのパワハラが原因であったと、判明することがある。20歳の専門学校女性徒を一例として紹介する。中学、高校とバレーの強豪校に所属し、数々の大会に出場した。バレー部を辞めて数年経つが、コーチに体罰を受けている瞬間が、フラッシュバックとして再現される、コーチに罵られている悪夢を見るので眠れない、感情を抑制できない、キレる、家族に暴力をふるう、リストカットが止められない等で、親も子も苦しんでいた。内観によって、家族、親類、身近な人たちに支えられ、愛されてきた事実を実感し、こんなにぐっすり眠れたのは小学校以来です、と安寧を取り戻した。身体内観を行い、自分の体は道具であり、何をしても良いと思っていたので、過度な運動やリストカットを繰り返していた。しかし、細胞、体のパーツが一生懸命自分の命を支えてくれていた、生かしていただいていたのだと実感し、心より自分自身の体に懺悔をし、感謝をした。このように、内観によって自分自身、そして、家族や他者との繋がりを取り戻す人は多い。近年、トラウマを体験した後、人間的成長を遂げる心的外傷後成長（ＰＴＧ）の概念が提唱されている。苦しかった、なんでこんな目に遭わなければならなかったのだ、という消極的な気持ちでトラウマを克服する人がいる一方で、あの出来事を通してこそ成長できた、あの苦しみを今は神仏からのギフトと思える、と見方を大転換し、トラウマからの回復を果たす人もいる。怪我をすると体に傷跡が残るように、トラウマによって心に傷が残るかもしれない。しかし、その傷跡と共に生きていこう、と肯定的にトラウマを受け止めるには、内観療法が有用なのは言うまでもない。

このことに着目し、内観療法によって他者との絆や繋がり感を取り戻せた人は、生きがい感も向上するのではないか、という仮説は、SOC健康尺度を用いた筆者の研究によって実証された。国立療養所でハンセン病患者の心理状態を観察し『生きがいについて』を著わした神谷美恵子医師（神谷1980）、そして、第二次世界大戦中、ユダヤ人として強制収容所に送られた経験を、その後、名著『夜と霧』に記し（フランクル 2002）、ロゴセラピーを確立した精神科医ヴィクトール・フランクルは、大変な状況に置かれていても、明るく振舞える人と、絶望してしまう人と二分されると分析した。患者にとって困難なことであっても、見方を変えることによって苦難を乗り切る力を発揮することができる、さらには、これらの壮絶な体験は人間として自分が成長する上での糧であったととらえる人もいると、共に述べている。このことは、内観設立者、吉本伊信が〝内観の目的は、いかなる困難、逆境にあっても、報恩感謝の気持ちで暮らせるように大転換すること〟と明らかにしていることと一致する（千石 2016）。ちなみに余談であるが、生きることの喜び、生きる価値を意味する「生きがい」の概念は日本固有のものだが、欧米人の関心を得て〝ikigai〟として普及している（茂木 2018）。

なお、内観は三つのテーマで自己を振り返る過程において事実を再認識し、認知の修正が起こることから、東洋式認知療法と称されることもある。しかしながら、内観によって沸き起こる懺悔、感謝、幸福感は、通常の認知療法では決して得られるものではない。それまでの不安で寂しい気持ちが大きな安心、安らぎへと大転換されるのだから、人生観が180度変わる。すなわち、生き方、人生が変わるのだ。仏教では転迷開悟、すなわち迷いを転じて悟りを開くことを目的にしているが、現代人の悩み、苦しみに応えるための内観と、その礎となる、鎌倉時代に開かれた浄土真宗の関わりについて考察を深めたい。

5 仏教からみた内観の目的

(1) 自力から他力へ——転迷開悟の道——

吉本伊信は、内観の目的を「どんな逆境にあっても報恩感謝の気持ちに大転換すること。」と公言し、内観者に、「あなたは今死んでも後悔はないですか。いつ死んでも後悔のないように。」と伝えてきた。筆者は、ここにこそ吉本の内観創生の真意と、内観の本質があると疑わない。実際に親鸞の足跡を辿ると、その人生と信念は、正にこの言葉に象徴されているのがわかる。

親鸞（1173–1262）は承安3年、源平の争いを中心に戦乱が続く混迷の時代、貴族藤原家に誕生した。幼少期に両親と別れ、九歳で得度して比叡山に上がる。親鸞の他に、平安から鎌倉時代に生まれた主な宗派の指導者は、浄土教を広めた法然、一遍、法華経を称え、天台宗の教義を仏教の基盤とした日蓮、中国の曹洞禅を日本にもたらした道元などがいる。このように、天台宗総本山比叡山延暦寺は、鎌倉仏教を築き上げ、日本仏教史に名前を刻んだ、著名な僧侶を輩出した仏教の中枢であった。現在でも、比叡山では千日回峰行をはじめ、常人では考えられない厳しい仏道修行が行われている。親鸞も、悟りの境地に達するため、懸命に仏道を歩むのだが、自分の力では、どうしても煩悩を無くすことができない。厳しい修行をすればするほど、心の奥底から湧き出す、蛇や蠍のような恐ろしい自分の本性に向き合うことになる。このままでは、どうあっても仏のような清い心になれない。悟りを開くことはできない。悩んだ末、親鸞は自力の修行を断念し、比叡山を下りる。これは、それまでの20年の仏道修行を根本から否定する、深い苦悩の果ての決断だった。山を下りた親鸞がすがったのは、京都市内、六角堂に祀られた救世観音であった。六角堂は、用明天皇２（５８７）年に聖徳太子が創建したと言われ、観音菩薩と聖徳太子への信仰の地として知られている。晩年に、親鸞は聖徳太子への思いを和讃に託している。

「救世観音大菩薩(くぜかんのんだいぼさつ)　聖徳皇(しょうとくおう)と示現して　多々のごとくすてずして
阿摩(あま)のごとくにそひたまふ」『正像末和讃』

意訳：救世観音大菩薩は、聖徳太子としてこの世にあらわれ、父のように
私を捨てず、母のように寄り添ってくださる

（浄土真宗聖典註釈版（浄土和讃）2004）。

親鸞は六角堂に１００日間参籠し、観音菩薩に、迷いを超える救いの道、すなわち生死出づべき道を問い続けた。すると、95日目の夜明け前、親鸞の夢に救世観音菩薩が表れ、このように告げた。

「行者宿報設女犯　我成玉女身被犯
一生之間能荘厳　臨終引導生極楽」

意訳：行者よ。おまえが宿業によって女犯をおこなったとしたら
私が玉女という女になって肉体の交わりを受けましょう。
そしておまえの生涯を立派に飾り、臨終にはお浄土へと引き導きましょう。

救世観音は、「これは、私の誓願です。全ての人に説いて聴かせなさい」と告げたという。親鸞が東の方向をみると、切り立った山々に、何千、何万という男女が立っていた。そこで、今みた夢のお告げを話したところで、目が覚めた、という（笠原 1973）[※1]。

当時の仏教は、決して庶民のための教えではなく、家族を捨てて山に上がり、厳しい修行をした僧侶のみが悟りを開き、救われるとされていた。しかし、親鸞はどんなに厳しい修行を重ねても決して打ち消すことのできない自らの煩悩に苦しんだ。僧侶は女性に触れてはいけないという戒律があったが、色と欲から生まれた人間が、果たして、それを否定することはできるのだろうか。親鸞が見た夢のお告げは、親鸞個人の問題を解決するだけではなく、修行をすることができない一般庶民もまた、仏の救いの対象である、という阿弥陀仏の救済を表している。この後、親鸞は京の町吉水で、念仏で救われると説く法然を師とし、日本の僧侶として最初に肉食妻帯を公に実行した僧侶となった（千石 2023）。

ところで、その親鸞の妻となった恵信尼も、夢のお告げを受けている。親鸞聖人が常陸の下妻の境の郷に滞在していた時のこと。どこかのお堂の供養らしく、お堂は東向きに建てられていた。お堂の前には松明が明るく灯されていた。その松明の西、お堂の前に鳥居のような、横木を渡したものに、仏様の御影像が二体、掛けられている。一体は光が輝くばかりで、お姿が見えない。もう一体は仏様のお顔をしておられる。「これは何という仏さまですか。」と尋ねると、答えたのは誰かは分からないが「あの光ばかりしか見えない御影は法然上人で、本地は勢至菩薩である。もう一体の御影は、観音菩薩で、今は善信の御坊（当時の親鸞聖人の名前）である。」と教えてくれた。この夢について、法然上人のことだけを親鸞聖人に伝えると、「その夢は真実である。法然上人が勢至菩薩の化身であるという夢は、方々で度々見られていたということを聞いている。勢至菩薩は限りない智慧を備えており、それは光となって顕現される。」と言われた。その時、恵信尼は親鸞が観音菩薩の化身であったということは伝えなかったが、それ以来、心の中で、夫、親鸞は普通の人ではないと思って仕えてきた、と『恵信尼文書』に記されている（浄土真宗聖典註釈版（恵信尼消息）2016）。つまり、親鸞と恵信尼は、互いに相手を菩薩と敬い、夫婦生活をしていたことが分かる。

親鸞によって日本仏教が堕落した、と批判する学者もいよう。しかし筆者は、それまで、家族妻子を捨てて仏道修行に励むことができる一部の人たちのための教えであった仏教が、親鸞によって一般庶民や、修行のできない女、老人、子どもにも身近なものとなった。仏教と民衆の間に橋を架けたのが親鸞だと思う。親鸞は家庭生活を営みながら仏に救われるという道を、私たちに開いてくれたのだ。

家庭生活は煩悩の吹き溜まりである。親子関係、夫婦関係に悩み、憎悪をも募らせた人たちが内観によって絆を取り戻すのは、浄土真宗が家族との繋がりを大切にする教えということと関わりがあるからであろう。

（2）壮絶な時代

親鸞は、弘長２（１２６２）年11月28日に90歳で往生している。当時の平均寿命が24歳くらいと言われているので、かなりの長寿だが、その人生は苦難に満ちたものであった。

親鸞が生きた鎌倉時代は、戦乱、飢饉や疫病、地震や水害等の自然災害で多くの人が亡くなり、誰もが明日をも知れぬ命だったと聞いていた。これまでは歴史上の遠い過去の話だと思っていたが、現代に生きる我々も、想像だにしなかったコロナ禍を経験した。世界中が震災、洪水、大火などの災難にも見舞われている今、鎌倉時代の混迷は、決して他人事とは言えない。また、終結の見えないロシア・ウクライナ戦争とパレスチナ・イスラエル戦争、それに伴う資源、食料不足など、先の見えない不安、恐れ、焦燥感、絶望を感じずにはいられない。時空を超えて鎌倉時代の人々と同様の苦しみを生きているような気持ちになる。親鸞が布教をしたのは、このような混乱と荒廃の中であった。

29歳で比叡山を下り、法然上人の門下になった喜こびもつかの間、親鸞35歳の時に念仏弾圧により（承元の法難１２７０年）越後に流罪。42歳の時、越後で念仏を広めた後、流罪が解け関東に移った。その後、63歳の頃に京都へ戻ったが、当時の京都の町は目を覆うような悲惨な状態だったという。

鴨長明の『方丈記』には、当時の人々が遭遇した苦悩が描かれている。京都の町は餓死者の死体で溢れ、各々に読経も埋葬もできないほど死者が多かった。不憫に思った仁和寺慈尊院の隆暁法印らが、せめてもの供養にと、死者の額に「阿」の字を書きつつ、京都を歩いた。京都の東から半分ほど来た時、2ヶ月間で遺体は4万2300人余りを数え、京都の町は死臭が漂っていたと、壮絶な記録が残っている。「築地の裏、道のほとり　餓え死ぬ者の類、数知らず。取り捨つる業も知らねば　臭き香世界に満ち満ちて変わりゆく形のあり様目もあてられぬも多かりき」。当時は元気な者から先に亡くなった。夫は妻を守り、妻は子を守って死ぬ。亡くなった母の乳房にしゃぶりつき、泣き叫んでいる赤ん坊や、飢えに耐えかねて死んだ童子を食べる者があったとも記されている（鴨長明 2004）。

親鸞聖人が関東の乗信坊に宛てた返信の手紙（御消息）では、〝何より去年今年、老少男女の多くの人々死にあいて候らん事こそ誠に哀れに候〟と、京都の地が修羅の巷と化していたことを伝えている（浄土真宗聖典註釈版（親鸞聖人御消息）2004）。

当時は同じ天皇の時代でも災難が起こると縁起が悪いと、年号が変えられた。親鸞の九十年間の生涯に11人の天皇が変わり、37の年号が変えられている。

6 親鸞の他力信仰と内観の心理機制

（1）阿弥陀仏の救済とは

このような激動の時代を親鸞は生き抜き、念仏を広めたわけだが、人生の終盤、齢84歳にして、塗炭の苦しみ、悲しみを味わうことになる。それは、我が子善鸞に裏切られ勘当した、善鸞義絶事件として知られている。この悲劇について語る前に、浄土真宗の教義の要を説明しておく必要がある。

①悪人正機：「善人なおもって往生を遂ぐ、いわんや悪人をや。

意訳：善人でさえ救われる、まして悪人はなおさらである」『歎異抄』第三条に記された有名な一節である。悪人正機とは、悪人こそが阿弥陀仏の救いの対象であるということである。悪人とは、倫理や道徳を逸脱した行為を行う人ではなく、煩悩、我欲にまみれた、全ての人間の本質を指す。

②他力本願：我欲、煩悩にまみれ、永遠に苦しみから逃れられない人間を哀れに思い、阿弥陀仏は、すべての人を必ず救う、と本願を立てた。すべての人とは、他の仏が救わない、罪や過ちを犯したことのある人や、修行のできない女、子ども、老人、病人などである。全ての人が救われるには、誰もができる行法が必要である。阿弥陀如来は長く厳しい修行の果てに「南無阿弥陀仏」とその名を称えることによって誰もが救われる念仏を生み出した。親鸞のいう善人とは、自らの善を誇り、欺瞞や邪見、偽善に気づかず、阿弥陀仏の他力にまかせない人のことをいう。親鸞は、比叡山での厳しい修行の果てに、自分ではどうしようもない煩悩にまみれた自分の本性、蛇や蠍のような恐ろしい人間の本質に気づかされた。こんな自分が救われるのは、阿弥陀仏の他力にゆだね、その智慧と慈悲の結晶である念仏を称えるしか救われる術(すべ)はないと他力念仏を広めた。世間一般では他力本願が誤用され、他人の援助や善意をあてにする時に使われることがある。他力とは、阿弥陀如来の本願の力であり、深く自己を見つめた結果、悪人である自分が阿弥陀仏に救われていくという感謝と喜びが念仏となって称えられるのである。

③ **往生浄土**：死んだらどうなるのか。自分の魂はどこに行くのか。死後どうなるかを後生の一大事といい、生と死を繰り返す、生死の迷いから離れる生死出づべき道を先達たちは求めた。煩悩を自ら無くす手段を持たない人間が、阿弥陀仏の他力にまかせると、煩悩、罪業を抱えたまま、浄土に往きて仏として生まれると親鸞は念仏の功徳を説いた。

（2）逆境を報恩感謝へと大転換——親鸞の我が子義絶事件——

以上、浄土真宗の教えを簡潔に説明すると、「本願を信じ、念仏を申すと仏に成る。」と歎異抄第12条（浄土真宗聖典註釈版（歎異抄）2004）に示されている通りである。しかし、悪人正機説が、実際に悪いことをするほど往生できる、などと解釈され、親鸞の教えが曲解されることがあった。念仏を巡り、関東で邪義の教えが広まったことを心配した親鸞は、自らの名代として信頼する我が子善鸞を関東に送った。関東では親鸞の古くからの弟子もおり、親鸞の長子だからといって、善鸞は特別扱いされない。本分を見失った善鸞は、これまで親鸞が説いてきた念仏往生の教えでは救われない、と嘘をつき、多くの信徒の心を惑わせたのだ。この真偽を直接親鸞に問いたい、と関東から真宗門徒たちが京都まで命がけの旅をする。現在では、新幹線で三時間ほどの道のりが、当時は150里、数100kmを20日前後で旅をしたといわれる。道中、獣や山賊に襲われる、波にのまれるなどして、多くの人が亡くなった。極楽往生の本当の道筋を問いただすという、ただ一つの目的のために命をかけている求道者たちと、それに対峙する親鸞の鬼気迫る問答が記録された第二条は、『歎異抄』（浄土真宗聖典註釈版（歎異抄）2004）の中でも、大変ドラマティックで、重要な章である。詳細は省くが、親鸞は、関東門徒たちに、以下の如く告げている。「親鸞は念仏以外、極楽往生の道は知らない。親鸞は、ただ一筋に念仏して阿弥陀仏に助けていただきなさいと教えて下さった法然上人の仰せを信じているだけで、それ以外に救われる方法は知らない。仮に法然上人に騙されて地獄に落ちたとしても、決して後悔はしない。なぜなら、どんな修行をしても仏になれない私のような最悪な人間には、しょせん、地獄こそ定まれる棲み処であり、そんな人間を救わんがために阿弥陀仏は念仏往生の道を選び定めて下さった。私の救われる道は、これ以外はありません。他力念仏往生の道を歩まれるか、別の道を選ばれるかは、あなた方次第です。」

前述のように、親鸞は自らを悪人、あるいは凡夫と称すが、これは世間一般の倫理、道徳を逸脱した行為を行う人を意味するのではない。妬み、怒り、執着などの煩悩を備えた全ての人間の本質を表している。『歎異抄』「悪人正機説」には阿弥陀仏の救済の対象は、厳しい仏道修行をしたとしても煩悩をなくすことができない、本来であれば地獄行の人間である、と示されている。親鸞のいう「悪人」の真の意味を理解しようとする時、我々は親鸞の暴いた人間の本質に向き合うことになる。

その本質に向き合う一つの手段が吉本の開発した内観である。内観者は命題の三つ目の〝迷惑をかけたこと〟について想起する時、ことさらに自分の自己中心性や我欲を見せつけられる。内観は、自分のこれまで犯した罪を辿る作業ともいえる。自分の罪を受け入れ、深い懺悔をして初めて、そんな悪人ともいえる自分が許されてきた、愛され、支えられてきた、という事実に気づく。それと同時に、これまで抱えてきた苦しみが他者への感謝と恩愛感へと大きく転じられる。

明日をも知れぬ壮絶な日々を生きる鎌倉時代の人々の信仰は、まさに命がけであった。親鸞も命をかけて後生の一大事、自らの魂が救われる道を求め、他力念仏の教えを伝えてきた。危険を冒しながら、はるばると関東から訪れた門徒に対し、自分自身の信心を率直に告白し、最後には突き放すかのような親鸞の厳しい口調には、何があっても、これだけは譲れない、守らねばならぬという、自らの牢固たる信仰心が伝わってくる。その後親鸞は、「いまは親ということ、あるべからず、子と思うこと思い切りたり　三宝神明に申し切り終わりぬ　悲しきことなり」と書状を送り、善鸞の義絶を通告している（善鸞義絶状、浄土真宗聖典註釈版 2007）。「悲しきことなり」という一言に込められた親鸞の慟哭、悲痛な感情はいかばかりだったであろうか。そしてこの事件を経て、85歳の頃に作ったというのが、浄土真宗信徒にとって、最も親しみのある、「恩徳讃」という和讃である。（浄土真宗聖典註釈版（正像末和讃）2004）。１９１８年に曲をつけられ（梅谷 2018）、今では法座の際に全国の真宗寺院で必ずと言ってよいほど、唱歌されている。

「如来大悲の恩徳は身を粉にしても報ずべし、師主知識の恩徳も骨を砕きても謝すべし」（浄土真宗聖典註釈版（三帖和讃）2016）「私たちをお救いくださる阿弥陀仏の大いなる慈悲の恩徳と教え導いて下さる釈尊や祖師がたの恩徳に、身を粉にしてでも骨を砕いてでも、深く感謝して報いていかなければならない。」一見、恐ろしく厳しい内容であるが、親鸞の仏恩への究極の懺悔と感謝が、この和讃として結実している。

我が子を勘当した後にこの和讃が作られたと知った時、筆者は理解に苦しんだものだった。私が親鸞なら、間違いなく我が子の裏切りに悶絶し、阿弥陀仏を呪ったであろう。人生の終盤になんでこんな目に遭わせられるのか、と。しかし、これは浅はかな凡夫の考えである。慟哭、悶絶を通して深く自己を洞察したのが親鸞である。頼りにしていた我が子に裏切られた、という血を流すような大逆境を機縁に、こんな子に育ててしまった、という慚愧や、年を重ねてもなお、蛇蠍の如く強い我欲、執着に囚われた我が心に再び向き合う。その懺悔の極みが、どうしようもない悪人である自分を救って下さるという阿弥陀仏への感謝の極みへと大転換された。大慈大悲の仏の御心に報いたいという報恩感謝の決意と、究極の信仰心が恩徳讃として紡ぎ出された。筆者は、この善鸞義絶による心理機制が恩徳讃へと昇華し、これをもって親鸞の他力浄土門教義が完結したと考える。いわずもがな、内観は浄土真宗哲学より派生している。人生のどんな逆境も報恩感謝の気持ちに大転換すること、という吉本伊信の内観の目的は、親鸞の経験した苦悩、生き方、教え、そのものと重なる（千石 2021）。

（3）僧侶の内観

筆者の内観研修所には、全国から医療従事者、教育者、学生、事業家、主婦等、様々な方が訪れるが、臨床仏教師認定プログラムのスーパーヴァイザーを務めていることもあり、宗派に関わらず、僧侶も研修に訪れる。浄土真宗の僧侶であっても、阿弥陀仏を心から信じることができない、信じていないのに、信徒に説教をしなければならないという苦痛が原因で長年うつ病を患っていた住職が研修を受けた。内観によって、母親との関係を見直すことにより、母親は、どんな自分であっても、受け入れてくれていた。健康であれば良いと願い、見守ってくれていたと気づく。その母の愛情と普遍的な母性である阿弥陀仏の慈悲を重ね合わせ、大きな安心を感じたという。さらには、寺を支えてくれている檀家の方々に、深く感謝ができるようになった。内観研修前は、死ぬことばかり考えていたが、今は僧侶として充実した日々を送れるようになったと報告してくれた。また、他宗の若い僧侶は、内観をして初めて、経文に書かれている教えの内容が、頭ではなく、心から理解でき、一句一句称えるのに涙が出て止まらなかったと話してくれた。その他にも、僧侶として他人の悩みを聴いているのに、自分は薬物依存で亡くなった兄の死を受け入れることができなかったが、内観を受けて初めて位牌に手が合わせられるようになった人、出奔した亡父を許してはいなかったが、内観中に父が阿弥陀仏と共にお浄土に往くのを感じられたなど、内観を通して自己を変容し、自らの信仰する宗教への帰依心が深まった僧侶は、本当に多い（千石 2023）。

7 内観の母性と阿弥陀仏の慈悲――スピリチュアルケアとしての内観――

悩み苦しむ内観者を自己洞察の旅へといざなうために、面接者は研修者滞在中の生活を丸ごと面倒みる配慮と、その人の告白が何であれ受け入れ、包み込む母性を求められる。それが内観の深化を助け、研修者の人生再生への扉を開く鍵となるのである。

九州大学で日本最初の心療内科開設に携わった池見酉次郎は、「内観法と精神分析」の中で「母は生命の根源」と題し、アジャセ・コンプレックスを唱えた古澤平作（1897–1968）の説を引用し、治療者と、患者の関係を次のように述べている。〝母親は患者の本源であり、かつては患者と一体だったものである。そして人間の不安の根底にあるものは、この一体感を失うことにあるとされている。そこで治療者との温かい人間関係を通して、このような母親的なものと一体感を体験させ、生命の本源とのつながりを実感できずに、不安におののく患者を再び大自然の生命の中に生き返らせてやらねばならない。それまでの人生で患者の心を不安にし、取り乱させていた分離（自分が愛してもらいたい大事な人から、引き離されたり、疎んじられたりすること）をめぐる葛藤は、このような治療者との、新しい感情体験によって解消し、生命の本源と一つに溶け合った、健康な精神発達を始める（池見 1975）。〟

ここで、筆者はスピリチュアルケアとしての内観の働きを感じる。心理療法・カウンセリングとスピリチュアルケアの違いは何だろうか。日本におけるスピリチュアルケアの先駆者、窪寺俊之によると、カウンセリング・心理療法は社会に適応させるための支援であり、スピリチュアルケアは失ったものを癒す、元の状態に戻すという役割がある（窪寺 2008）。ゆえに筆者は、池見の論ずることは、心理療法を超えたスピリチュアルケアの領域に通じるものと受け止めている。内観療法を受けて引きこもりが治った、燃え尽き症候群から解放された、というのはよくある話だが、この場合は社会適応させるための心理療法として、内観が機能する。災害などの突然の不幸にみまわれた原因に対する答えが出ない問題や、愛する者への喪失感を癒すには、内観の持つ母性がスピリチュアルケアとしての側面に応えるのではないかと思う。

親鸞は、子どもが母を思い、慕う気持ち、それが阿弥陀仏への信心だと、我々衆生と阿弥陀仏の関係を親子に例える。「子の母をおもふがごとくにて　衆生仏を憶すれば　現前当来とほからず　如来を拝見うたがはず（浄土和讃）」（浄土真宗聖典註釈版（浄土和讃）2004）。浄土真宗では、阿弥陀仏のことを「親様」とも称す。この母の愛情、見守りを頂いていると気づいた子どもは、その無償の愛情に対し、深い懺悔と感謝の心を持つ。そして、これからは親を泣かせるような生き方は絶対しない、と生き方の転換、決意をするのだ。

浄土真宗の教義で、「二種深信」「機法一体」という教えがある。「二種深信」の二種とは、機（自己）と法（本願力）の二つのことであり、深信とは、全く疑いなく、深く信じる心である。すなわち、本来は救いようのない悪人であるという自覚を得た自己が、そんな自分をこそ必ず救うという誓い、本願を立てた阿弥陀仏の慈悲の心、他力によって必ず救済されるということを、疑いなく深く信じる心である。その自己と阿弥陀仏は「機法一体」、すなわち、念仏を称えることで、ひとつになるのである。

吉本が「身調べ」という身命をかえりみない苦行を通していきついたのは「この自分はどんなに悪人であっても、大きな力、愛情によって生かされて生きている。」という事実であり、内観者は、自己中心性に気づかされて初めて、その自分を見捨てなかった他者への恩愛を感じ、懺悔、感謝の心が生まれる。矯正界、医療界などで内観が導入されるにあたり、その普及のために吉本は、内観は仏教ではないと言いつつも、「念々称名常懺悔」と、日常的に内観をするのは念仏を称えるのと同じことである、と述べている（吉本 1979）。親鸞がかつて自力の行を捨てて山を下り、仏教と民衆の間に橋を架けたように、吉本は内観を通して仏教の世界観と現代人の間に橋を架けたかったのではないか、と筆者は思う。また、吉本はいつも「あなたはいつ死んでも後悔ないですか。いつ死んでも後悔のないように。」と内観者に問いかけていた。それは、鎌倉時代を生き抜いた親鸞のように、私たちは諸行無常の娑婆世界にあって、今は不思議な縁によって生かされているものの、いつ何時、後生の一大事に遭ってもおかしくないと、僧侶として当然の死生観をもっていたからに他ならないだろう。

内観は、ホスピス、緩和ケアのターミナル医療の現場でも導入されると前述した。ここで、スピリチュアルケアとしての内観の一例をあげる。

70代の男性。ステージ4の食道がんであった。元高校の教師であったため、内観が教育現場で導入されていることを知り、関心を持った。体調が良い時に、昔話を聴かせていただくような形で、ゆっくりとライフレビューとしての内観を進めていった。「内観は、今お世話になっている人だけでなく、亡くなった人とも出会えます。当時言えなかった、ありがとうやごめんなさいを伝えることもできますよ。」と言うと、「昨夜、夢の中で、昔、迷惑をかけた、誰それと会った。あんなにお世話になったのに裏切ってしまった。あの時は本当に悪いことをした。許してほしい、と頭を下げると、にっこりと笑ってくれて、一緒に酒を飲んだ。」などと報告してくれた。それまでの、妻や医療者への横柄な態度が驚くほど柔和になり、表情は穏やかになり、不思議な安堵感を漂わせるようになった。また、かっぽう着を身に着けた母親の懐の温かさを思い出し、大好きな母親のいるところに行ける、と感じられたことが、死に向かうにあたっての、深い安心感となった。臨終の安らかな様子に、ご家族は心から安堵され、妻は、夫が亡くなる前に「ありがとう、世話になった。」と初めて感謝の言葉を聴いたと知らせてくれた。本来であれば、日常生活を内観と共に生き、死が迫れば残りの時間、更に内観を深め、いつ死んでも後悔のない境地になることが理想だろう。しかし、臨床の現場であっても、少しでも思い残すことなく人生を閉じるためのお手伝いを、内観は提供することができる。また、この他にも、「生命が危ないと医師に告げられていたその夜に、自分の人生を振り返る臨死体験をした。その振り返り方が内観とよく似ていたので、内観は魂の根源と繋がっていると実感した。」という人や、病床にあって内観中、光と幸福感に包まれる経験をした、などの報告が寄せられている。

8 これからの世界と仏教からみた内観の役割

最後に、親鸞が和国の教主と仰いだ聖徳太子の人間観に触れたい。聖徳太子は異国より伝来した仏教を受容し、604年、日本で最初の憲法、十七条の憲法を制定した。その第一条は「和をもって尊しとなし。さからうことなきを宗とせよ。」平和を築くにはまず和を尊ぶ心こそ争いをこえる第一条件であると示された。第二条は「篤く三宝を敬え。三宝とは仏法僧なり」と、和して仏国土を築こうとした。しかし同時に仏国土である和国を実現するためには、和の心に背く怒りや腹立ちの心をひるがえさなければならないことだと注目され、第十条に「忿（こころのいかり）を絶ち、瞋（おもえりのいかり）を棄て、人の違うことを怒らざれ。人みな心あり。心おのおの執れることあり。彼れ是とすれば、我れ非とす。我れ是とすれば、彼れ非とす。我れ必ずしも聖に非ず。彼れ必ずしも愚かに非ず。共にこれ凡夫（ただひと）のみ。是非の理、たれか能く定むべけむ」と、凡夫として同じ大地に生きる平等思想を明らかにされた。自分の思想、言動を良しとし、自分と異なる相手に怒り、非難する我々一人一人が凡夫だという自覚に立って、他人を認め、許し、我執を絶つようにと太子は念じた。さらに、摂政として政治にかかわり、百済、隋という諸国の外交と文化の向上に尽くされた聖徳太子が深く、厳しく人間の姿を内観し、「世間虚仮　唯仏是誠」世間はうそ、いつわりで人間は不実で煩悩のかたまりである。それゆえ、仏の教えを拠り所にすることにより、真実の智慧をいただき、火宅無常の世にあっても互いに共存し、生き抜いていくことができると信じ、大和の国を平和へと導いた（千石 2004）。この太子の仏教に基づく人間観は、内観によって我々が自己を知り、他者を理解し、許し、和解する過程によって得るものと同様であろう。

仏典に、共命鳥（ぐみょうちょう）という一つの体に二つの頭を持つ鳥の話がある（浄土真宗聖典註釈版（仏法行集経）2004）。片方が自己中心的な思いで、他方を殺そうと、騙して毒を食べさせるのだが、頭は二つでも一つの体を共有しているので、結局、この鳥は死んでしまうのだ。仏教では、全ての生き物の命は繋がって支え合っている、平等に尊い命だと説く。人間が目先の欲望のために戦争を起こし、地球環境を汚染し、人間以外の動植物を犠牲にすることは、結局は、人間も共に破滅するということに過ぎない。内観が深まると、例えば一本の木を見る時に、この木を大地の底で支えている根の働きや、肉眼では見えない空気や養分、太陽のエネルギーがあってこそ、ようやく、この木が存在できるのだという事実が解る。母なる大地や自然との繋がり、そして他者との関わりは自分の生命にとってもかけがえがないものだ、と頷けるようになる。この気づきは、仏教の唯識学でいう無分別、あるいは縁起である。さらには、トランスパーソナル心理療法の、人間は個人を超えて最も根本的な基礎において共通なものを有しているという認識、そして、アルフレッド・アドラーの自己と他者が共に良い関わり方をめざす、共同体感覚を促進し、自己実現を目標とした心理療法とも繋がる。この縁起の法に目覚めると、目先の利便性のために生態系を壊したり、無意味な戦争をすることはなくなるであろう。人類は今、和の心を忘れ、本当に危ういところまで来ている。内観の一刻も早い、世界的普及が希求される（千石 2023）。

9 内観の直面する課題

しかしながら、内観が1950年代末葉に設立され、2000代年初頭に日本社会において注目され、医療分野を含む多くの分野で重用された黄金期と比べ、現在のところ、世間一般での内観の注目度は決して高くない。内観の直面する課題は、いかに再普及を果たすのか、ということである。内観は道徳的、古臭いというイメージが強いという意見や、内観を受けてはみたいが、一週間という研修期間が現代人にとっては長すぎるという声は頻繁に聞いている。その一方で、現在、北京、上海を含む中国各省では内観が広く普及し、大学病院の精神科、心療内科での保険適用診察の他、民間の内観研修所でも、中国文化、風習、生活上の問題に合わせた独自の内観変法が誕生している。また、日本、中国でEメール内観、インターネットを活用した内観が試みられている（千石 2022）。筆者は、内観を短期間で深化させるため、マインドフルネス、ヨガ、気功法を導入した心身めざめ内観を開発し、研修期間を従来の半分の期間にして、従来の内観と同様の効果を出している（千石 2017）。このように、内観再普及のため、内観指導者も様々な工夫をしていかねばならない。その際、最も大切なことは、内観原法と同様の認知の転換、自己改革、新生体験が研修者に起こらねば、意味がないということである。吉本が身調べの苦行の要素を取り除き、誰もが施行できる自己探求法になるようにと内観法を仕上げた。吉本の足跡を偲ぶ内観指導者は、その国の国民性や現代人のニーズに合わせながら、いかに内観療法の精神、エッセンスを損なうことなく内観者に提供できるのかが、問われている。

おわりに

浄土真宗では、死後、浄土で仏に成るというが、阿弥陀如来の第二十二願　還相回向の願によると、阿弥陀仏を信じる者は、自らが仏になっても、有縁の人々を導く役割があるという。

筆者が内観に出遭った時、吉本伊信先生も、キヌ子夫人も既に還浄されていた。しかし、吉本先生に指導を受けた先生方のおかげで、内観は存続、発展してきた。吉本先生は、お浄土でゆっくり休んではおられないのだ。内観の普及のために、今も私たちを導いて下さっていると、筆者は感じている。本章は、内観療法の基礎となった親鸞思想に焦点を当て、浄土真宗に馴染みの薄い読者にも理解して頂くために、専門用語は極力避け、意訳を用いた。親鸞の時代背景、教義、エピソードを十分に紹介することは難しく、今回だけでは伝えきることができない。しかしながら、内観を生み出した親鸞と浄土真宗に関して僅かでも関心をもっていただけたなら、幸いである。

注

※1　親鸞の夢告については本書第5章で鈴木がスピリチュアルエマージェンシーの視点で論じているので、ご参照していただきたい。

参考文献

池見酉次郎　1975.『内観法と精神分析　内観法』大和内観研修所.

ヴィクトール、F.　2002.　池田香代子訳『夜と霧』みすず書房.

海谷則之　2018.『恩徳讃ものがたり』本願寺出版.

笠原一男　1973.『親鸞――煩悩具足のほとけ――』日本放送出版協会.

鴨長明　2004.『方丈記』青空文庫.

吉本伊信　1979.「内観で浄土を」『宗教の世界』宗教の世界社、pp. 6–37.

窪寺俊之　2008.『スピリチュアルケア学概説』三輪書店.

浄土真宗教学伝道教育センター　2004.『浄土真宗聖典註釈版（親鸞聖人御消息』本願寺出版社.

――――　2004.『浄土真宗聖典註釈版（浄土和讃）』本願寺出版社.

――――　2004.『浄土真宗聖典註釈版（正像末和讃）』本願寺出版社.

――――　2004.『浄土真宗聖典註釈版（歎異抄）』本願寺出版社.

――――　2004.『浄土真宗聖典註釈版（仏法行集経）』本願寺出版社.

――――　2007.『浄土真宗聖典註釈版（善鸞義絶状）』本願寺出版社.

――――　2016.『浄土真宗聖典註釈版（恵信尼消息）』本願寺出版社.

――――　2016.『浄土真宗聖典註釈版（三帖和讃）』本願寺出版社.

神　仁・久間泰弘　2016.「被災地の子どものこころのケア」『ぴっぱら』全国青少年教化協議会、２０１６年５－６月号.

神谷美恵子　1980.『生きがいについて』みすず書房.

千石真理　2004.「イラク戦争・憲法九条・聖徳太子」『大法輪』71(８)、pp. 206–212.

――――　2012.「内観療法」井上ウィマラ・葛西賢太・加藤博己編『仏教心理学キーワード事典』春秋社、pp. 246–247.

――――　2016.「集中内観は生きがい感の向上に有効か?――ＳＯＣ健康尺度を用いた検証」『いのちの未来』創刊号、京都大学大学院・人間環境学研究科カール・ベッカー研究室、pp. 115–128.

――― 2017.『幸せになるための心身めざめ内観』佼成出版社.
――― 2021.「内観療法の現在と展望――仏教の智慧で現在、未来を生き抜く――」『人間性心理学研究』38（2）、pp. 159-166.
――― 2022.「三つの質問で本当の自分に出会う内観療法――心身一如のコンセプトと共に――」坂井祐円編著『仏教は心の悩みにどう答えるのか』晃洋書房.
――― 2023.「仏教からみた内観」『内観法・内観療法の実践と研究』日本内観学会編 pp. 246-258.
長島美稚子 2023.「「生と死」に向き合う内観法の検討――事例をとおして――」口頭発表 第45回内観学会／第9回国際内観療法学会大会、東京大学本郷キャンパス伊藤国際学術研究センター.
茂木健一郎 2018.『IKIGAI――日本だけの長く幸せな人生を送る秘訣――』新潮社.

第3章 森田療法と仏教

東京情報大学大学院教授・高野山真言宗僧侶　山口　豊

はじめに

森田療法と仏教は、筆者には思い入れのあるテーマであり、できるだけ臨床的意義のある内容として記述したい。読者の心理支援になれば、望外の喜びである。

本章は、主として神経症への森田療法と仏教の臨床的意義を記述してある。筆者の神経症への森田療法体験と仏教体験を通したものとなっている。心理学研究方法には、量的研究以外に質的研究がある。特に、臨床心理学においては、ケース報告や事例研究も多く、本章もそれに準ずるものとして読んでいただければと思う。

1　筆者の精神的葛藤時代

筆者の研究テーマのひとつに、臨床的人間観の考察がある。マックス・ウェーバー社会学とユング心理学を通して、近代以降の人間観を考えると、それはひどく肥大化した自我に全体が覆われ、無意識の働きが抑圧され、心身の調和が崩れている。そのゆがんだ人間観は、増大する精神疾患と大いに関係があると考えている。

この研究テーマは、自らの臨床的課題から生まれてきた。筆者は、高校から大学にかけ、心苦しい神経症的生活を送っていた。いくつもの神経症的課題を抱えていた。今は神経症という言葉を用いることは少なく、不安障害ということが多いが、わかりやすく神経症という言葉を用いる。代表的なものに対人恐怖症があった。コミュニケーションへの不安が強く、相手の顔を見て話すことが苦しかった。生き方を変えたり、心や感情をコントロールしたが、不安は増大するだけだった。不安をとり除くことばかりが意識にのぼり、未来への希望も失いつつあった。他にも、予定を忘れないように、何度も何度も繰り返す強迫観念も強かった。常に、頭の中がヒートアップし、精神的葛藤が激しく、焦燥感にとらわれていた。こんなことが長く続き、疲労感も大きく、青春時代を謳歌することはできなかった。脳科学的には大脳皮質によって大脳辺縁系をコントロール、哲学的には理性によって感情をコントロール、深層心理学的には意識によって無意識をコントロールしている感じといえばいいだろう。いずれにしても、心の安定はなく、落ち着かなかった。不安を消そうとする解決策は空回りし、常に不安や強迫観念との戦いにあけくれていた。

解決策を見つけたくて、カント、ヘーゲルなどの哲学をかじった。「物自体は認識されない」とか「絶対精神が自己展開する」などと頭に詰め込んだが、精神的葛藤に何の効果も無かった。キリスト教にも接近した。そのころ、友人から三浦綾子氏の『道ありき』を紹介され（三浦 1980）、それまで、宗教には関心がなかったが、実話に衝撃を受け、キリスト教こそ真理だと教会の門をくぐった。牧師さんと話し、それまでためていた苦悩が堰を切ったように流れた。さわやかな感覚に包まれ、キリスト教に惹かれていった。カトリシズムの告解制度とはこんな感じなのだろう。教会に通い礼拝に参加し、聖書を勉強し、神とキリストへの信仰がはじまった。ピューリタンのようだった。キリストの血が罪を清め、救われたと信じていた。しかし、時間がたつにつれ、何かおかしいことに気づき始めた。救われているはずなのに、精神的葛藤が続いているからである。むしろ、表面的な善人と内面の欲の葛藤が一層強くなっている感じだった。私にとって、キリストへの信仰は偽善であった。善人のふりをし、他人ばかりではなく自分をも欺いていたのだ。ニーチェがキリスト教徒をルサンチマンといったが、なるほどと自分を重ねることができた。ニーチェの深い人間理解に惹かれ、後にユング心理学を勉強する中で、ユングがニーチェを高く評価していることにも納得できた。このような西洋哲学やキリスト教信仰は、私の神経症症状に心理的効果をもたらさなかった。ただ、そのことで、後に出会う森田療法と仏教の臨床的意義をはっきりと示してくれることにはなった。

マックス・ウェーバーの『プロテスタンティズムの倫理と資本主義の精神』『古代ユダヤ教』『ヒンドゥー教と仏教』という名著がある（ウェーバー 1989, 1983, 1962）。ウェーバーは「エートス」という概念を用いて、人間を特定の行動に押し出していく精神力を分析し、プロテスタンティズムが「エートス」として、禁欲的精神という行動パターンをつくり、やがて資本主義が形成されると説明した。プロテスタンティズムは、人々の意識を外界に向かわせ、社会を変革していく力となった。このことは、ユダヤ教、キリスト教の理想像を示すこととなった。そこで、ウェーバーは、ユダヤ教徒やキリスト教徒にとって理想像は「神の道具」になることであるとした。一方、ヒンドゥー教や仏教は、その理想像は「神の容器」となることとした。カール・グスタフ・ユングも「西洋人は外向的であり、東洋人は内向的である」と心理行動パターンを比較分析している（ユング 1983, 107–108）。このように、西洋人と東洋人に影響を与えた宗教の目指す心理行動パターンは正反対ということである。

私自身も西洋哲学やキリスト教に関わっていたころは、心は内面に向かわず、常に外向的であり、内面の精神的安定に関わることはうすかった。外から評価される行動ばかりを意識していた。このような東西宗教精神性の比較は、森田療法や仏教の臨床的意義を考えていくうえで、重要な視点となった。先回りして言えば、森田療法や仏教における、治療法の核心である「かくあるべし」から「あるがまま」の心境変化の意義が一層理解できたからである。

2　森田療法との邂逅

このような精神的葛藤を抱え、大学3年まで神経症的な生活を送り、将来に明るい希望を持てずにいた。しかし、この状況の転換するときがやってきた。いつものように、書店に出かけ、哲学・宗教・心理関連のコーナーで本を読んでいた。偶然、森田正馬先生の『神経質の本態と療法』（森田 1960）という本が目にとまり、手に取って読み始めた。手が震えた。記述内容の精神的葛藤や神経症症状が、まさに自分自身が長い間、苦しんで葛藤してきた症状そのものだったからである。神経症に振り回されていく様子やその努力が徒労に終わっていく様子も描かれ、まるで心を読み透かされているようだった。同時に希望も見えた。なぜなら、自分だけが特殊な精神的葛藤をしているわけではないことがわかったからである。「そうそう、うんうん」という感じだった。こんな経験は初めてで、これまで読んできた心理学・哲学・宗教の本は、理想論や一般論が書かれてあるだけで、自分の心の苦しみと一致することはなかった。どこか遠いものであった。一方、この本には、神経症の苦しみがどういうものか、なぜ発症するか、どうすれば乗り越えこられるかが具体的に記述されていた。例えば、人前に立つとき、「ドキドキする、失敗したらどうしよう」と心臓が早くなり、顔も赤くなる。このことは、自然なことで変えることはできない。自然なことには服従していくしかない。水が高いところから低いところに流れていく、目は横についていて鼻は縦についている、柳は緑で花は紅である、自然なことである。だから、自然には従順であるよりしかたがない（森田 1960, 86-87）。しかし、神経症者は、簡単には自然に従順になれない。「不安は有ってはいけない」「完璧に成果を出さなければならない」「さわやかな気持ちでなければならない」「ドキドキしてはいけない」などと勝手に思想を作り上げ、理想を求め、否定的感情を排除しようと必死になる。このことを森田療法では「思想の矛盾」という。自然な心の動きに服従できず、やりくりし、かえって精神的葛藤が高まる。しかし、不安は不安、ドキドキはドキドキ、気になることは気になる、つまり「あるがまま」に受け入れる時に、精神的葛藤は必要以上には高まらず、やがて不安は弱くなり消えていく。

この本には、以上のような神経症の症状と心理メカニズムが書いてあり、「全くその通り、そう、そうだ、これまで不安を受け入れることができなかった、思想で不安を排除しようと必死だった、哲学や信仰によって、心をコントロールしようとしてきた」と心の中で自分に叫んだ。そうではなく「あるがまま」にいきる（森田 1953, 32）。これが人間の自然な心だと分かった瞬間だった。そのとき、体の中で何かがストンと落ちていった。急に肩の荷が軽くなり、精神的葛藤が静まってしまった。一瞬で、長い間の精神的葛藤が氷解してしまった。これには驚いた。いままでの西洋哲学やら信仰やらで、心境が変化したことはなかった。本を読んだだけで、精神的葛藤が消えてしまった。森田療法の神経症発症の心理的メカニズムと治療法の正しさに自信をもった瞬間でもあった。森田先生は「神経症は、私の著書を読んだだけでも治る」、「治った者は、はがきの一枚でも送ってほしい」と記述されていたがこの言葉は本当だった。私の生き方が180度変わった。「コペルニクス的大転換」という言葉があるが、その通りになった。不安や強迫観念を意識的にとりのぞかねばならない「かくあるべし」から不安は自然なものとして受け入れる「あるがまま」の生き方に変わった。

3 森田療法の誕生

森田療法の誕生について話を進める。神経症という言葉はノイローゼと共に、かつてよく用いられていた。ＤＳＭ－５の診断基準に従えば、不安障害やパニック障害に相当する（日本精神神経学会監 2014, 187–261）。森田正馬先生のころは、「神経衰弱症」ともいわれ不治の病と恐れられていた。森田先生は、自らの研究成果から、神経衰弱症を「神経質」と呼んでいた（森田 1953, 18）。この言葉の意味は含蓄がある。なぜなら、病気というより正常な精神状態に近いが、わずかな心の持ちようの違いが精神的葛藤を生み、人生を混乱させているからである。したがって、この疾患は内因的な精神疾患というより、本人の人生態度や生き方から生じるものであり、疾患というよりは生き方のすれ違いといった方が近い。

森田先生が、神経症発症の心理メカニズムと治療法をどのようにして誕生させてきたかについてみてみよう。森田が神経症を研究してきたのは、第一に自らが神経質で、この気質のため、中学、高校、大学と神経衰弱や神経性の心臓病、心悸亢進の発作、神経性の腰痛などの身体症状に悩んでいたことが理由である。大学入学後、大学病院で神経衰弱と脚気の合併症と診断をうけ、ひどく心配し、毎日くすりを飲み注射をした。「その頃、私はほとんど勉強ができなかったので、学年試験を受けても、とても及第する見込みはないと思った。ちょうどそのころ、郷里からの送金が二ヶ月も絶えていた。私は父の無常をうらみ、自分の病気を悲観し、やるせない煩悶の果てにやけくそになった。そして、父に対する面当てに死んで見せようと決心した。後で考えると、おとなげないことであり、他人から見るとくだらぬことであるけれども、そのときの私自身は真剣である。そこでどうしたかというと、服薬も治療もやめ、一切の養生を放棄して、夜もほとんど眠らずに勉強した。死ぬ覚悟で勉強した。試験がすんでみると、成績は思いがけなく上出来であった。そして、私の脚気や神経衰弱の症状はいつの間にか消失していた。……私のいままでの神経衰弱は、実は仮想的なものであった。少なくとも、症状の大部分は自らつくりあげたものであった。」（森田 1956, 211–212; 森田 1953, 27）。森田の伝記を書いた野村も森田自身のこの背水の陣、恐怖突入の体験が後年「神経衰弱及強迫観念の根治法」を生み出す尊い試練であっと述べている（野村 1982, 61–62）。

要するに、森田先生自身、神経症、当時の言葉でいう神経衰弱症で苦しんで絶望していた。それを、本人の捨て身の生き方で克服していった。休んで薬を飲んで養生するという治療を捨て、命を捨てる覚悟で、目前のやるべき行為（これを森田療法では「目的本位」とよぶ）、このことに全身全霊で取り組んだ結果であった。森田先生の生き方のコペルニクス的大転換であった。神経衰弱症は不治の病どころか、仮想の病に過ぎなかった。自ら幻を作り、それに縛られ苦しむ。したがって、治療法はこの幻に気づき、不安に振り回されず、事実に即して生きることである。仏教も、この世界には実態のあるものはない、すべて縁起によって生じるという。実態あるものとして執着するゆえに苦悩が生じる。森田療法と仏教は非常に近い立場といえる。

神経症者は、自分の幻で苦しむから幻を打破すればいい。方法としては、哲学や信仰などの「思想」に偏重した生き方をせず、現実の目前にある事実に即して、やるべきことに没入していくことである。これを森田では「事実唯真」「思想矛盾」とする。哲学や信仰はかえって症状を悪化させる。そのようなことから、入院森田療法では、初期において、読書を禁じている。後半に、読書が認められても、事実に沿った科学的なものに限られる。私もカントやヘーゲルを読んでいる頃、心の安らぎはなかった。キリスト教信仰も同様だった。

4　神経症発症メカニズム

森田療法に沿って、神経症発症のメカニズムを整理する。発症には、患者自身の性格が大いに影響する。神経症になりやすい性格特徴は二つある。

一つは「神経質性格」で、内向的・内省的で心配性、完全主義、理想主義、頑固、負けず嫌い等の強気の性格である。もう一つは、「ヒポコンドリー性基調」で必要以上に病苦を気にする精神的基調である。

「神経質性格」だが、この性格は内向的で心配性で、常に不安を抱えやすい。そこに完全主義や完璧主義も加わり、少しの心身の違和感も大きく捉え、他人が気にしない事もくよくよ考える。例えば、対人恐怖症の人は、うまくやろうとする意識が強く、そのことがかえって不安を強くし、その不安が人前でのプレゼンを邪魔し、実力発揮できないと更なる不安を生じさる。ドキドキしないよう、顔が赤くならないよう、心のやりくりをする。かえって、精神的葛藤が強くなっていく。しかし、人前に出れば誰でもどきどきし、心配するのは当たり前である。除くことはできない。不安を除くやりくりは、かえって精神的葛藤を高めていく。神経症者と健常者の違いは、だれでも感じるこの不安を受け取るか、受け取らないかのわずかな違いなのである。森田先生は、このことを「煩悩の犬、追えども去らず」といっている（森田 1953, 90）。犬を追い払おうとするほど、犬は余計に吠えてかかってくる。本来、気分や感情は自然な反応である。赤面恐怖の人が顔の赤くなることを「ふがいない、情けない」と考え、恥ずかしがらないようにする結果、かえって自分の羞恥心や赤面に注意が向き、更なる精神的葛藤が生じる。森田でいうところの「思想の矛盾（＝思想と現実を混同すること）」である。神経症者は「かくあるべき」が強く、不安や恐怖も排除できると勘違いし、かえって苦しむ。

もう一つは、「ヒポコンドリー性基調」で、必要以上に病苦を気にする精神的基調のことである。誰でも病気になることは嫌で、心身の違和感があれば、病ではないかと心配するのは自然なことである。

しかし、それが過剰になる場合、精神的葛藤を引き起こす。例えば、喉に違和感があるとする。普通、「喉使いすぎた」、「風邪かな」程度で、深刻に受け止めることはない。やがて忘れる。しかし、神経症者はそういかない。喉に違和感があれば、「甲状腺がんかもしれない」。検査にいかないと手遅れになる」と決めつける。そのため、常に喉に注意が向く。当然、少しの違和感も気になり、ますます不安が高まっていく。このことを、森田では「精神交互作用」という。このように、神経症者は神経質性格から「思想の矛盾」、ヒポコンドリー性基調から「精神交互作用」となり、精神的葛藤が高まり、不安が強くなり神経症を発症していく（森田 1960, 21–32）。

5 森田療法の治療戦略

そこで、森田療法では「思想の矛盾」（前掲書、74）と「精神交互作用」から離れ、事実の世界に生きていく「事実唯真」の姿勢を養うことを治療の大きな枠組みとする。具体的には、目前の必要な仕事や勉学に励んでいく。不安に振り回されず「目的本位」の行動をとり続ける。やがて、不安や強迫観念への心の「やりくり」や「はからい」が無くなり、ひたすら、今、今、今、瞬間、瞬間に全力で生きる姿勢が養われる。禅僧が作務に自己を投げ入れていく修行そのものである。禅仏教では座禅ばかりではなく作務が重要である。生活手段を得るためだけではない。作務そのものが修行であるからである。これは、禅仏教での話であるが、かつて道元禅師が大陸に渡って禅の修行をしていたころ、老僧が暑い中、汗だくになって、海藻干しをしていた。それを見ていた道元禅師は、「暑いですから仕事は弟子に任せるか、涼しい日にしたらどうでしょう」と言った。老僧は、このことを聞くと「それでは自分の修行にならない」と返されたという。これなどは、まさに作務そのものが修行そのものであり、禅僧にとって、一瞬、一瞬に全力で生きる大切さが語られている（大森 1983, 142–143）。まさに、森田療法そのものである。

森田療法による神経症の全治とは、不安が消えていくだけではない。むしろ、神経症になる前より、生き方や行動が積極的になり、不安や悩みなどどうでもよくなる。患者は悩みにかかわっている暇がなくなり（森田 1953, 34）、悩みを離れ忘れて、大きく心と行動が「目的本位」になっていく。道元禅師の「仏道をならふというは、自己をならふなり、自己をならふというは自己をわするるなり。……」（道元 1971, 2）の言に近い。一種の悟りの境地である。森田療法と禅仏教の接近性がよく研究されるのは、このような理由による（宇佐ほか 1987, 146–175; 鈴木 1969, 251–283）。

6 森田療法の具体的治療方法

では、実際どのように森田療法は行われていくのだろうか。入院を通じて患者の生活指導を行い、神経症によって崩れた生活を立て直していく（森田 1960, 103–120）。入院森田療法では、経過を四期に分ける。

第一期は「臥辱療法」といい、ひたすらベッドで寝ていく。これは患者の疲弊した心身を休める目的があると同時に、重要なことは患者の不安への気休め行動をさせないことである。寝ているだけなので、患者はいやがうえにも、自らの不安や強迫観念に向き合い続ける。支持的カウンセリングに慣れた人は、この治療法は苛酷に見えるが治療には必要である。寝ているだけであるが、気休めができないので苦しく、いやがうえにも不安や強迫観念と対峙していかざるを得ない。治療には不安から逃げない姿勢の養成が必要である。やがて不安と共存していくことを覚え、消えていくことも身につく(前掲書、106)。徐々に活動欲も生まれる。

第二期として、軽い「作業療法」期に入り、活動欲をもとに作業を実施する。できるだけ自室での休息は認めず、不安や強迫観念のままに、戸外で庭の落ち葉拾い、掃除、草取り、枯れ葉取りなどをする(前掲書、109–110)。自発活動を促す「目的本位」の行動をとるようにする。「目的本位」とはやるべきことをやっていく姿勢である。神経症者は、本来強い向上心(森田では「生の欲望」という)を持っている。しかし、神経症者は不安や強迫観念が強いので、そこにとらわれ「目的本位」の行動がとれなくなり、不安と強迫観念を相手に戦う「思想の矛盾」に陥っていく(前掲書、74)。治療は不安と闘うエネルギーを目前の課題に向けていく。やがて、不安や強迫観念があっても、やるべき事ができるようになる。そして不安や強迫観念をなくそうとする態度こそ誤っていたことに気づいていく。

第三期も「作業療法」だが作業が複雑化する。基本的には第二期と同じだが、さらに自発的に「目的本位」の行動をとらせる。やがて作業に没頭できるようになり成果も得られる。

第四期は実際の生活期である。第三期までの「作業療法」を練習とすれば、実際の生活において、「作業療法」を行っていく。実生活だから外界の変化にも順応しなければならない。作業も臨機応変に対応していく。この時期の心境について、森田は次のように言う。「なお、私はこの治療中に、患者をして純な心、自己本来の性情、自分をあざむかない心というものを知らせるように導くことを注意する。純な心とは、私たち本然の感情であって、この感情の純然たる事実をいたずらに否定したり、ごまかしたりしないことである。私たちはまずこの事実を本然として発展するのであって、善悪・是非の標準を定めて、そのあとでこれにのっとるという理想主義でなく、また自分の気分を満足させるという気分本位でも無い」（前掲書、116–120）。このような方針の元、入院森田療法はすすんでいく。

7 森田療法の治療効果

実際の森田療法の治療効果はどれくらいだろう。森田先生によれば、普通神経質の患者で63人中39人全治（62％）、軽快19人（30％）、未治5人（8％）、強迫観念症の患者で55人中全治32人（58％）、軽快20人（36％）未治3人（5％）発作性神経症の患者で6人中全治4人、軽快2人という（森田 1953, 297–298）。また、森田先生の高弟の鈴木知準先生によれば、次のようである。神経症症状をほとんど思い起こすことなく、活動的におおいに勉強し勤務している状態を「A段階」、神経症は意識されることがあるが、不安と感じる事無く活動的に勉強、勤務している状態を「B段階」、神経症の不安は残っているが日常の生活は普通にできている状態を「C段階」、神経症の不安のため治療前同様日常生活ができない状態を「D段階」とする。治療後の成績は、A段階17・2％、B段階43・9％、C段階35・4％、D段階3・4％となるという。神経症の全治とされるA、B段階をあわせると61・1％となり、森田先生の報告とほぼ同じ数字になる。Cまで合わせると、なんと96・5％となる。ほとんどの患者が、日常生活ができるまで回復する（鈴木 1986, 103–125）。これは驚くべき治療効果である。森田療法は海外でも行われ、中国では70の病院が実施し、アメリカでも内観療法との組み合わせで普及が進められているという。世界トップクラスの治療法である（金原 2008, 53–62）。

8 禅仏教との邂逅

このように、森田療法は神経症の有効な治療法である。筆者は森田療法との邂逅によって人生のコペルニクス的転換を図り、「あるがまま」の生き方が少しずつ分かってきた。そのころ大学内に「正風会」という座禅サークルがあった。週1回座禅をしていた。主宰は当時の臨床心理学教授だった。教授は学生のころから座禅に接し、臨済宗の専門道場で接心をしてきた方であった。臨床心理学の専門家であると同時に、禅仏教の大居士という風格があった。ひげがぼうぼうとして、目はギラギラして、気合が入り、大学へも作務衣を着てくることもあった。大学内でたまにあった時など「山口くん」などと腹のそこから大きな声をかけてくれた。その風貌はまさに白隠禅師の描いた有名な達磨大師のようであった。「俺は自分を学者と思っていない。ただの……」などと大笑いしていた。風変りな先生であったが、私はこの教授と過ごす時間が楽しかった。いつの間にか、私は教授を師匠と思うようになった。それまで出会った学校の先生に対して、師匠と思った先生はいない。仏教修行には師匠が必要とされる。ヴェーダやヒンドゥー教もグル（師匠）なしでは修行が進まない。私にとって教授は精神的指導者だった。サークルでの参禅が自分には本格的な仏教との出会いであった。週1回の座禅会で

1回30分の座禅を、3回繰り返す。全部で1時間半ぐらい座った。自宅のアパートでも朝晩座禅をした。朝夕2時間ぐらい座っていた。1回40分3回座った。数ヶ月もすると、足の痛みにも慣れ精神が集中し、心も静かになり感情の波が静まり心地よかった。道元禅師は座禅を「安楽の法門」といった。更に年6回、教授に連れられて、大学近郊の山深い臨済宗の禅寺で金曜日夜から月曜日朝にかけ、3泊5日の座禅会にも参加した。土日の座禅は長く、朝4時起床、すぐ布団を片付け、トイレに行き、すぐ座禅に入る。6時30分ぐらいまで座る。その後、粥座（朝食）、掃除などの作務、9時ぐらいから11時ごろまで座る。昼食、作務、15時から17時ごろまで座り、薬石（夕飯）のあと、20時ごろから21時30分ごろまで座る。7・8時間ぐらいは座った。慣れるまでは、さすがに足がしびれたが、やがて慣れ、寺の庭の池の水の流れる音が心地よく感じることもあった。心も静まり精神の集中も進み、やがてこれまで体験したことのない脳内体験もした。かつての対人恐怖や強迫観念がうそのように消えていった。

このように想像以上に座禅が順調にすすみ、心理的効果を上げたことは座禅のやり方が適切だったからと考えている。神経症を経験し森田療法に出会い「あるがまま」の心境を学んでいたことが良かったと思う。座禅は仏となったり、神に出会ったり、神通力を得たりなどの神秘力を得るのではなく「本来の自分」に戻っていく修行である。年数回の禅寺での参禅会も、週1回の座禅会も、自宅での座禅も、何かを得ようとせず、煩悩がわいてきても、他に気持ちが向いても、足の痛みを感じても、わきあがってくる感情を相手にせず、ただ自然に任せて「あるがまま」に座禅をした。私は勝手にこのやり方の座禅を森田療法式座禅といっている。目は半眼で1メートル前方を見つめ、数息観という観想方法を行った。自分の吐く呼吸と吸う呼吸を、「ひとーつ、ふたーつ、みーつ、」と10まで数える。また「ひとーつ……」と繰り返していく。初歩的な瞑想技法である。臨済禅には公案がある。顕教の「摩訶止観」「天台小止観」にもさまざまな観想法がある。密教やヒンドゥー教のヨーガにも数えきれないほどの観想法がある。数息観は瞑想法の中の基本中の基本であるが、心を集中し静めていく技法としては大変優れている。浮かんでくる不安や強迫観念と戦いもせず追いかけない。森田療法式の「あるがまま」の座禅をしていくには、適切な方法である。道元禅師の「只管打坐」も同じだろう。ただすわるだけである。座禅で不安に勝つ、不動心を求める、無心を求める、仏や神になるとすれば、たちまち森田療法的座禅ではなくなる。心理的効果は得られないだろう。かえって精神葛藤が高まる。教授の学生時代、座禅を一緒にやっていた仲間がいたそうだが、その人はいつも気合のはいった座禅をしていたという。しかし、やがて精神がおかしくなり、精神病院に入院してしまったという。入院しても、病院のベッドの上で座禅をして、相変わらず背骨をまっすぐたて、気合を入れ、足を結跏趺坐に組んで、すごい座相であったという。そして、ひたすら「悪魔よ、去れ」「悪魔よ、去れ」と叫んでいたという。禅仏教の中に禅病という言葉がある。座禅でかえって精神がおかしくなってしまうことである。白隠禅師の「夜船閑話」にも、禅師の禅病の苦しい様子とその治療法が書かれてある（伊豆山 2002）。禅師は若いころ猛烈な座禅を行い、かえって心身を衰弱させ苦しんでいた。まさに神経衰弱症である。白隠禅師のこの禅病を森田先生も神経衰弱症（＝神経症）と考えていた（森田 1975, 665）。そこに、道教風の白幽仙人が現れ「なんその法」という特殊な観法を禅師に授け、禅師はこれを繰り返して、禅病を克服したという。「なんその法」は座禅中に、頭の上に牛の乳で作った良い香りのするクリームが載っていると観想していく。やがて、そのクリームが体熱でだんだん溶け、身体に流れ落ち、全身を癒していくイメージを繰り返す。白隠禅師はこれで禅病を克服した。座禅は一歩間違えば、精神をおかしくしてしまう。そこから、禅仏教では、座禅で何かを得るという座禅を邪道として、厳しく戒める。座禅の祖である達磨大師は、弟子が「座禅で得られることは何ですか」と聞かれて、即座に「無功徳」といった。「俺は悟りを開いた」、「聖人になった」、「神秘的力を得た」などと禅寺の中でそんなことを言う雲水はいない。そのような境地は魔境といわれる（大森 1986, 117–124）。私も禅寺で、禅僧に心境や脳内変化を話したら「おまえ、しっぽを隠しておけよ」などと笑われた。つまり、野孤禅になっているぞとの警告だった。

9　臨済禅・曹洞禅と森田療法

座禅の方法は宗派によって異なる。インドのヨーガでも多くの方法があるように、禅仏教も臨済と曹洞では異なる（前掲書、157–166）。臨済禅は公案を用いて座禅する。公案というのは禅問答という言葉があるように、老師（禅の師匠）が弟子に課題を与え、座禅中にそれを解く。答えを老師に持っていき判断をいただく。老師はその答えから弟子の心境の進み具合を測る。公案は、知的には答えがでない。例えば「片手で拍手の音を聞いてこい」という公案がある。知的に答えを出すことはできない。しかし、弟子は老師に答えをもっていかねばならない。何度も何度も老師に答えを拒絶される。それでも雲水は繰り返し座禅をして答えをもっていく。やがて、答えのないところまで追い込まれ、精神的極限状況になる。森田療法で言えば、人工的な神経症発症といえる。そこを突破していくことで座禅の心境が深まっていくという。

曹洞禅は道元禅師の「只管打坐」の言葉に代表される座禅である。いってみれば「ただ座る」だけである。座禅に何かを求めるのは邪道であるが、「只管打坐」は、容易なようで容易ではない。特に、神経症を経験した人は、そのことがよくわかる。座る時は座るだけ、食べる時は食べるだけ、作務の時は作務だけ、それになりきることは容易ではない。雑念に振り舞わされるからである。神経症者は先のことを考えて不安になり、不安をとろうとして、ますます不安になっていく。目の前の仕事になりきることができない。心はいつも他の所にあり対象に集中できない。また、そのことを悲観し、さらなる不安を増幅させる。しかし、精神が対象に没入する時に不安はない。目前に集中しているからである。これが森田療法の治療の核心である。道元禅師の「只管打坐」と森田療法の「あるがまま」は同じと筆者は考えている。「只管打坐」は神経症者のためには、特に適切な座禅と言える。

このように、臨済禅であれ曹洞禅であれ、森田療法と重なることが多い。森田先生も禅の言葉を用いて、森田療法を説明することが多い。入院森田療法を実施していた鈴木知準先生の病院でも、座禅を取り入れていた。ただし、鈴木先生は、座禅で何かの心境を得ることを強く戒め、道元禅師の言うように作業になりきることが入院森田療法の核心であるとしていた（鈴木 1986, 30–31）。

10 森田療法と真宗

森田療法はこのように禅仏教との関連が深い。ただ、森田先生は真宗の言葉も使って、森田療法を説明することもあった。真宗には妙好人という言葉がある。これが「あるがまま」を達成した人の境地との関連で語られる。真宗は阿弥陀信仰によって救われる。法然上人の浄土宗の阿弥陀信仰による救済方法をより徹底させ、親鸞上人はすべてを阿弥陀様にお任せする信仰に徹している。そこで人間の努力は、かえって阿弥陀様の救済に邪魔になる。なぜなら、救済は自力ではなく、阿弥陀さまの力でこそなされるからである。阿弥陀様にすべてをお任せした自由自在人を妙好人といい、真の救済に至った理想人となる。

悪人正機説は一見おかしな教義であるが、人間の努力による人が救済されるなら、阿弥陀様にすべてを任せることしかできない悪人が救われないはずはないとする教義である。森田療法的に言えば、不安を取り除こうとする人間的な努力「はからい」をしているうちは、心に安らぎはない。しかし「思想の矛盾」から離れ「事実唯真」として「不安は不安でしかない」、「あるがまま」しかないと悟った時、不安や強迫観念は消え自由な心境が生まれる。これは自分自身の努力を超えた境地であり、まさに真宗の妙好人に重なるといえる。森田先生も親鸞上人が自らを悪人であると悟った時から、煩悩に悩まされてきたが、阿弥陀様にすべてを任せると往生して強迫観念（＝煩悩）が治ったに違いないという（森田 1975 433）。

キリスト教においても、パウロは「我生きるのではなく、キリスト生きる」と言う。キリストにすべてを任せている心境であり、まさに妙好人であり、あるがまま徹する人ともいえる。

11 欲と森田療法

森田療法は、このように禅仏教や真宗との関連で語られることが多いが、密教との関連で語られることは多くはない。このことは森田療法の理解には大きな片手落ちである。作業に没頭していく姿勢は確かに禅仏教の作務といえる。「あるがままに生きる」は計らいを超えた真宗の阿弥陀信仰の妙好人の生き方といってもいい。しかし、それは表面的な姿であり、そのような心境に至るためには、「生の欲望」に基づく生き方の変革が必要である。たとえば、疾病恐怖、吃音恐怖、強迫観念などの症状が消えていくのは結果にすぎない。なぜなら、治療期間中、それらの症状を不問に付し（尾野 1981, 31-41）、「目的本位」の生き方を身に着けていくことが必要だからである。「目的本位」の生き方とは、言われたことを事務的に機械的に作業していくことではない。「目的本位」の生き方とは、患者が自らの向上心に従って、より良い人生のための「生の欲望」を充足していく生き方である。例えば、対人恐怖症の学生に対し、心理カウンセラーなら、他人に会いたくない気持ちに支持的にかかわり、無理に会わない支援をする。しかし、患者にとってこの支援は不十分である。なぜなら、ひと時の安心感は得られても、本当の欲である「人とうまく関わりたい」という行動が満たされていないからである。対人恐怖症は他人と会いたくないからではなく、楽しく会いたいゆえ、有意義に会いたいがため、かえって自分の弱点や違和感が過剰に気になり、弱点や違和感を取り除くことに気持ちが向かいすぎ、かえって不安が募り、他人に会えなくなってしまっている状態だからである。他人と元気に接したいというのが患者の本当の願いであり欲でもある。その欲が実現しない限り、対人恐怖症が完全に良くなったとは言えない。欲を捨てるのではなく、あきらめるのでもなく、その欲の実現に向かって生きることが、森田療法の「目的本位」の生き方なのである。そのような生き方が実現することで、結果として症状が気にならなくなる。これが全快である。心境が大きく変容し、行動も大きく展開して、人生の達人になっていく。この辺のことは、森田先生自身が神経症を乗り越えた上述のエピソードからも理解できる。森田先生の高弟の一人の鈴木知準先生も、しきりに「あるがまま」の言葉だけが先行している現代の森田療法に警鐘を鳴らし、森田療法の神髄は「生の欲望」を実現する生き方とし、症状があっても、つらいながらも、苦しいながらも、「生の欲望」の実現に向けての行動を体で覚えていくことであるとした（鈴木 1977, 115–116; 1960, 41–42）。森田療法において重要なことは、不快な感情や不安に戦いをいどむのではなく、不快な感情や不安は「あるがまま」にして、心の奥にある「生の欲望」に気づき、その欲が実現できるよう「目的本位」の行動をとっていくことである（森田 1953, 178）。森田療法は人生の再トレーニング道場である。筆者は、森田療法の治療にとって、この視点が最も重要な視点と考えている。森田先生は次のように言う。「われわれの本来性は欲望にのって、日に新た、また日々新たに生成発展するもので、固定したものではなく、ここでは自然の努力が行われ、微妙に環境への適応性が発揮されている……我々の本性は「生の流動」と言ってよいものである……「はからい」のままに自己の欲望にのって前進することにより、自己の本来性「生の流動」は発現するものである（鈴木 1960, 111–112）。森田療法によって、神経症が良くなった人は、以前より生き生きと生きていく。これは「生の欲望」に沿った生き方ができるようになっていくからである（鈴木 1986, 126–127）。このように森田療法では、「生の欲望」への気づき、それを実践して創造的に生きていくことが重要であり治療の中心的戦略であるとする（森田 1960, 66）。

森田先生自身、神経症の治療には欲を完全に発揮することの重要性を次のように語っている。

「我々の完全欲というものは、どこまでも際限なしに、押し伸ばして行かれなければならない。……我々は、自分の生命の欲望を、どこまでも完全にしなければならない。そうすれば必ず強迫観念の一方にのみとらわれから離れるのである（森田 1975, 84）。神経症の治療は単に寝ていたり、休んだりしても、良くならない。積極的に「目的本位」の行動をとっていくことが必要である。神経症を発する人は、完璧主義、神経質、向上心、執着心が強い、つまり「生の欲望」が強い。この「生の欲望」を発揮していくことこそ、神経症にとらわれず、はつらつとした人生へと変換していく原動力となる。単なる「あるがまま」の森田療法ではなく、「生の欲望」の森田療法という視点を忘れてはいけない。

そのようなことから、欲を肯定する仏教である密教との関連を検討することも重要である。密教も欲を抑えるのではなく、かえって大欲の実現を通して成仏に向かうからである。

12 大欲と密教

密教は釈尊の仏教から発展し、部派仏教、上座部仏教、大乗仏教と発展した最終発展形態の仏教で金剛乗ともいわれる。人間釈迦が説いた言葉で理解できる仏教（密教に対し顕教という）に対し、密教は言葉の理解を超えているので、多く象徴体系で成立している。密教の教主は釈迦如来ではなく、究極的な法（ダルマ）自身が法身説法する大日如来（マハーヴァイローチャナ）である。大日如来は一切の根源であると同時に、一切は大日如来の顕れでもあるとする。したがって、顕教には見られないほど神秘性が高く、呪術も排除することはない。大日如来は梵語でヴァガバーンという。ヴェーダ・ヒンドゥー教では、ヴァガバーンとはイーシュヴァラのことで、イーシュヴァラは宇宙の根源であり、特に、ヴェーダンタ哲学では、宇宙はすべてイーシュヴァラの顕れとする。密教と同じである。密教において、釈尊は悟った法を理解できる人の機根に応じて、さまざまに説いたとするので、真実の教えそのものではなく仮の教えとしている。一方、大日如来は仮の姿ではなく、大宇宙の根源、究極的存在そのものであるので、密教は大日如来自身が説いた真実の教えであるとする。そこで、顕教よりも教えが深く、言葉では理解ができないので、真言（マントラ）、印（ムドラー）、マンダラなどの象徴が多く用いられる。そこで容易に理解することができないことから、教えが隠されているという意味で秘密仏教と言い、略して密教という。修行成果である成仏に至る時間も唯識仏教（顕教）では途方もない時間がかかるとするが、密教では「即身成仏」と言い、この身を捨てずして仏になるという。

通常、仏教において欲は煩悩であり悟りを目指す修行者には、心を乱すものとして滅することが求められる。仏教は「戒定慧」として戒律を大切に、欲のコントロールが求められる。もちろん、密教も受戒を行うが、欲についての考えは顕教とは異なる。密教では欲を大欲と言って、顕教のように排斥しない。排斥するのではなく、欲を成仏に向けてのエネルギーとして活用する。前述の森田療法も治療の要は、「生の欲望」に基づく「目的本位」の行動であるとしたが、このこととき わめてよく似ている。このことを鈴木知準先生は次のように言っている。「たとえば雑念を恐怖する強迫観念を例に挙げれば、自らの欲望に直進する態度の展開によって、雑念を意に介さない、雑念が生活に少しも支障を及ぼさない生活態度を身につけることであって……」(鈴木 1960, 114)。また、精神分析学の防衛機制理論の昇華に類似する。一方、顕教は欲を滅することを重視する。

日ごろ唱える経中に、顕教と密教で似て非なるものがある。顕教の「四句誓願」と密教の「五大願」である。四句誓願は、「衆生無辺誓願度・煩悩無尽誓願断・法門無量誓願学・仏道無上誓願成」であり、僧侶がこのお経を唱えて、ひたすら仏道精進を願う。二つ目の「煩悩無尽誓願断」というのは、煩悩欲望を誓って断てるようにということで煩悩(欲)に対する顕教の姿勢が伝わってくる。一方、五大願は、「衆生無辺誓願度　福知無辺誓願集、法門無辺誓願学、如来無辺誓願事、菩提無上誓願証」であり、四句誓願によく似ているが「煩悩無尽誓願断」を唱えない。代わりに「福智無辺誓願集」を唱える。この句の意味は「この世的なすぐれたものをいっぱい集めましょう」となっている。むしろ、世間の欲の実現を肯定する。

また、密教教義には「煩悩即菩提」という言葉があり、欲に対する考えを的確に表している。煩悩を敵視し滅するのではなく、煩悩の力を悟りの力にしていく。日本仏教史のなかで、法相宗の徳一菩薩と最澄上人の長年にわたる論争は有名であるが、徳一菩薩は空海上人の「即身成仏論」も強く批判したことで有名である。法相宗の立場からは、煩悩の身で成仏などありえないからである。ここにも顕教と密教の欲への態度の違いを見ることができる。

密教には『理趣経』という重要な経典がある。日本仏教史上に有名な出来事の一つに、空海上人と最澄上人の離反がある。これは弟子の取り合いという浅薄な理由ではない。密教理解に重要な理趣経解釈書の貸し借りを巡って生じたものである。なぜなら、理趣経は、堂々と人間の欲を肯定する内容を説いているからである。欲を肯定する心境の理解ができないと、理趣経は誤解を生む。顕教は欲について否定的であり、天台宗の最澄上人には、この時点では密教における欲の理解は十分ではなかったのかも知れない。したがって、空海上人は理趣経解説書を安易に貸し出すことはできなかった。密教にとって、欲は大切なものである。高野山真言宗の三井英光大僧正によると、理趣経の根本本尊は愛染明王であり、愛染明王は愛欲と深く関連のある明王（仏）であるという。また、「理趣経の場合は人間に具わる愛欲の如きも、心の蓋がとれ、垢さえのけば、そのまま本来の浄らかな生命の躍動であるから、決してこれを捨つべきではない。それをしも煩悩として除けてしまおうとすることこそ、却って穢れに染まり執われに着くこととなる。」という（三井 1969, 45）。河合隼雄氏（1987）も『明恵 夢を生きる』の著書の中で、この経典を引用し、深層心理的立場から解説している。明恵上人は夢の中でインド僧から、この『理趣経』を伝授された。上人は華厳宗僧侶であるが、密教を学び、弘法大師空海を深く敬愛していた。著書の中で、河合氏は「明恵は欲望を拒否したり、抑圧したのではなく、それを肯定しつつ、なお戒を守るという困難な課題に取り組んだのである。ここに、明恵の偉大さがある。『伝記』には、「欲心深き者、必ず仏道を得る也。されば、能々此の大欲を起こして、是を便りとして生々世々値遇し奉りて、仏の本意を覚り明めて、一切衆生を導くべき也」という明恵の言葉が記載されている。もちろん、明恵はここで「大欲」を説いているのであるが、それに先立って、「欲心深き者、必ず、仏道を得る也」と言い切るところに彼の面目が躍如としている」（河合 1987, 120–123）。このように河合氏は、明恵上人を高く評価し、修行における欲の役割を強調している。

弘法大師空海の主著に『秘密曼荼羅十住心論』がある（岡野 2005）。『十住心論』は、人間の心を十に分類し、人間の心が、第一住心から第十住心に高次元に上昇していく過程を描いている。①〈異生羝羊心〉性欲と食欲のことしか考えない心 ②〈愚童持斎心〉子どもが食事の行儀を守れるようになった心 ③〈嬰童無畏心〉子どもが親に守られて安心している心 ④〈唯蘊無我心〉個人の無我性を認めた心 ⑤〈抜業因種心〉悪い業を浄化し覚りの種に気づく心 ⑥〈他縁大乗心〉他者を救済しようとする心 ⑦〈覚心不生心〉生まれることも滅びることもない覚りの心 ⑧〈一道無為心〉唯一の心理に至り、ありのままをさとった心 ⑨〈極無自性心〉究極の無自性をさとった心 ⑩〈秘密荘厳心〉秘密の真理によって飾られた心、とこのように弘法大師空海は、『大日経』をもとに描く。「十住心論」は世界初の比較宗教学でもあり、仏教各派の教えに加え、インドのバラモン教や中国の道教や儒教も取り入れ、心のありようを動物的な欲望のレベルから徐々に発達し成長して崇高な精神にまで上昇してゆくように描いている。十番目の究極的な「秘密荘厳心」大日如来の心に到達することが、密教の目的であるが、心の変容のスタートは「異生羝羊心」である。欲そのものである。動物のようではあるが、その心がないと成仏はできない。欲は否定したり、抹殺したり、抑圧したりするのではなく、「大欲」として生かしていく必要のあることがわかる。

このように密教において、欲の役割は大きい。森田療法においても同じことが言える。神経症治癒のための「かくあるべし」から「あるがまま」の生き方への変化は、その背後にある「生の欲望」という欲の働きで可能となることは、本章で繰り返し記述した。単なる機械的事務的な作業療法の繰り返しでは神経症には歯が立たない。「生の欲望」に目覚め、生き方を根本的に変容し、積極的に人生に立ち向かわなくてはいけないからである。

これまで、森田療法と密教との関連を指摘したものは多くない。しかし、本章で繰り返したように「欲」を通じて、森田療法と密教の関係は深いことがわかるだろう。むしろ、禅仏教や真宗よりも近い関係にあると筆者は考えている。森田療法の根源的な原動力が「生の欲望」の発現であれば、密教の大欲との関連こそ、最も重要な視点だからである。

以下の森田先生の言葉をかみしめて、この章の終わりとしよう。

「私の神経質の療法は、心身の自然発動をさかんにし、むしろおのおのその人の病的傾向をも利用して、いたずらにこれを否定抑圧することもなく、人の本然の能力を発揮させようとするものである。」（森田 1960, 160–161）

「しかし、人間は、向上心をもとめてやまないその本性から、いつまでもそんな低級なところにはとどまっていない。……精神が向上するにつれて、それを馬鹿げた虚栄に過ぎないとさとりようになり、外見よりも自分の人格の充実完成を大事に思うようになる。つまり、自分の知識や人格、健康などを充実し、世のために役立つことによろこびを感じるようになるのである。……大欲は無欲のごとしと言われるのも、この関係からである。」（森田ほか 1956, 93–94）

「幸福とは、われわれがあらん限りその機能を発揮し、欲の皮は何とかいうことになり、きりのない欲求の満足を充たそうとする向上努力をいうのである。努力を忘れて幸福はなく、努力すなわち幸福、幸福すなわち努力であるということができるのである。」（森田 1958, 171）

「努力せよ。人生の目的は努力であって、努力がすなわち幸福なのだ。そして、人生の手段も努力であって、人生の実際もまた、この努力であるということを忘れてはならない。」（前掲書、174）

付　記

本章第12節「大欲と密教」は山口ほか（2010）をもとに加筆・修正をしている。

参考文献

伊豆山格堂　2002.『白隠禅師　夜船閑話』春秋社.

ウェーバー、マックス　1989. 大塚久雄訳『プロテスタンティズムの倫理と資本主義の精神』岩波書店（岩波文庫）.

――――　1983. 深沢宏訳『世界諸宗教の経済倫理Ⅱ　ヒンドゥー教と仏教』日本貿易出版社.

――――　1962. 内田芳明訳『古代ユダヤ教』みすず書房.

宇佐晋一・木下勇作　1987.『あるがままの世界――仏教と森田療法――』東方出版.

大森曹玄　1983.『禅の発想』講談社（講談社現代新書）.

――――　1986.『参禅入門』講談社（講談社学術文庫）.

岡野守也　2005.『空海の『十住心論』を読む』大法輪閣.

尾野成治　1981.「治療教育における現象学的アプローチと森田療法と行動療法の関連の一考察」『福島大学教育学論集』33.

河合隼雄　1987.『明恵　夢を生きる』京都松伯社.

金原俊輔　2008.「高等学校における森田療法」『長崎ウエスレヤン大学現代社会学部紀要』6(1).

鈴木知準　1969．『ノイローゼの体験療法』誠信書房．
――――　1986．『神経症はこんな風に全治する』誠信書房．
――――　1977．『森田療法を語る』誠信書房．
――――　1960．「一つの生き方――ノイローゼ根治への道――」白揚社．
道元　1971．中村宗一訳『全訳　正方眼藏』誠信書房．
日本精神神経学会監　2014．『ＤＳＭ－５精神疾患の診断・統計マニュアル』医学書院．
野村章恒　1982．『森田正馬表現』白揚社．
三浦綾子　1980．『道ありき〈青春篇〉』新潮社（新潮文庫）．
三井英光　1969．『理趣経の講和』高野山出版社．
森田正馬　1960．『神経質の本態と療法――精神生活の開眼――』白揚社．
――――　1953．『神経衰弱と強迫観念の根治法』白揚社．
――――　1975．『森田正馬全集　第５巻』白揚社．
――――　1958．『恋愛の心理』白揚社．
森田正馬・水谷啓二編　1956．『生の欲望』白揚社．
――――　1960．『神経質問答――新しい生き甲斐の発見――』白揚社．
山口豊・岸良範　2010．「ユング心理学と密教」茨城大学教育学部紀要『教育科学』59．
ユング、Ｃ・Ｇ．1983．湯浅泰雄・黒木幹夫訳『東洋的瞑想の心理学』創元社．

第４章　心理臨床から見た原始仏教

人間総合科学大学・人間総合科学大学大学院専任講師　鮫島　有理

はじめに

本章では、心理臨床から見た原始仏教についてお話をしていきたい。心理学も仏教もどちらも「こころ」を扱うという共通点がある。心の探究、追究をするという意味では同じであり、心理学のルーツが哲学であることを考えても、仏教と親和性があるといえる。ただ、仏教は宗教としての信仰や覚り（悟り）についても説いているため、あくまでも心理学と共通性のある部分で話を進めていきたい。また、臨床心理学や心理臨床の分野を詳しく知りたいという方もいると思うが、心理学分野については、平易に書かれている書籍が多く出版されているため、そちらを参照いただき、ここでは多くを述べず、あまり馴染みのない原始仏教やその教えについてより多くの紙面を割くことをお許しいただきたい。

まず、心理臨床から見た原始仏教について話をする前に、簡単に原始仏教と大乗仏教の違い、心理臨床とは何かなどに触れてから具体的な内容について述べていきたいと思う。

1 原始仏教

(1) 北伝仏教と南伝仏教

我が国において「仏教」というと、お寺や僧侶を思い浮かべる方が多いのではないだろうか。葬式や法事、お盆やお彼岸、京都や奈良、鎌倉などの寺社仏閣、座禅や写経、般若心経など、日本人にとって、仏教は生活に根差したものといえる。これら日本でイメージする仏教はすべて、浄土真宗、浄土宗、日蓮宗、真言宗、天台宗、臨済宗、曹洞宗等々の日本仏教の宗派に伴う寺や儀礼であり、仏教が出来た約2500年前にはなかったものがほとんどである。

日本に仏教が伝わったのは、西暦538年（日本書紀は552年）とされ、朝鮮半島から仏典や仏像がもたらされている。日本初の僧が尼僧であり、善信尼、禅蔵尼、恵善尼という若き女性たちであったことはあまり知られていないが、古墳時代後期にはすでに尼僧が誕生していたのである。廃仏毀釈と呼ばれる仏教排斥運動などもあったが、仏教は日本に伝わって以来、奈良時代、平安時代、鎌倉時代とそれぞれの時代に傑出した高僧が中国に伝わった仏典を繙き、開祖となり、現代に至るまで生活に根差した宗派が伝わってきた。だが、これらはいずれもインドから中国を経て日本に伝わったものということになる。

仏教はインド発祥であるが、仏教は大きく分けて、チベットやモンゴル、そして中国や朝鮮半島に伝わり、日本に来た「北伝仏教」と、スリランカ、ミャンマー、タイ、カンボジア等の東南アジア諸国に伝わった「南伝仏教」に分けることができる。

（2）原始仏教の特徴

北に伝わった北伝仏教、南に伝わった南伝仏教といった分け方以外にも、年代や教理によって原始仏教、部派仏教、大乗仏教と分けることもある（水野 2006, 37–44）。

原始仏教：釈尊在世中から仏滅後百年頃[※1]までの初期の仏教

部派仏教：仏滅後百年頃に戒律や教理の解釈を巡って革新派（大衆部）と保守派（上座部）に分かれる根本分裂が起き、大乗仏教が興隆するまでの二、三百年の間に十八または二十の諸部派が出来た。大乗仏教興隆後もインド各地に存在し、その勢力を維持

大乗仏教：部派仏教が次第に形式化、形骸化して、仏教本来の宗教的立場を失ったとして、本来の姿に復帰させる運動として仏滅後四百年頃起こった

大乗仏教は釈尊没後５００年位の頃にインドで起こり、北に伝わったため、北伝仏教と呼ばれる。この北伝仏教は大乗仏教とほぼ同義であり、南伝仏教と小乗仏教[※2]もほぼ同じ意味で使われることが多い。

日本に伝わった仏教は北伝仏教であり、大乗仏教であることは述べたとおりであるが、では、原始仏教はどのような仏教なのであろうか。

明治以前には、南伝仏教の存在はわが国ではまったく知られてなかったが、英国では図書館に収集されたパーリ語[※3]の写本などから英訳が進められていた。日本では、明治以後に高楠順次郎らが英国のパーリ語仏典を底本として日本語訳し、「南伝大蔵経」六十五巻七十冊を戦前に出版している。

原始仏教は、仏教が出来た当時の最初期の仏教であり、釈尊在世中から仏弟子が活動していた時期の仏教を指すことが多いが、原始の語が原初的で未成熟な意味合いを持つこともあるため、初期仏教(Early Buddhism)[※4]と呼ばれることもある。

釈尊はどのように教えを説いていたのであろうか。教えを系統立てて、基礎的なことから授業のように法を説いていたわけではない。釈尊は、比丘(びく)と呼ばれる出家僧に向けて定期的に説法をしたり、一般の人から話しかけられた時にそれに答えたり、仏教以外の教えを信じる者たちの疑問に答えるなどしていた。そのため、釈尊が説いた教えや話したことを近くにいた比丘たちが、内容を事細かにそれぞれすべて記憶していた。今の現代人には考えられない驚異的な記憶力であるといえるが、当時すでにインドの地に定着していたバラモン教の聖典『ヴェーダ』も、口伝のみによって伝承されてきており、文字が使用されるようになってからもしばらく文字には残さなかったことを考えると、当時の古代インド人にとって、口伝での伝承はそこまで特別なことではなかったのかもしれない。また、これは文化の違いによるものかもしれないが、文字として残すことは、誤記や散逸の恐れがあるとして、口伝での伝承こそが確実なものと考えられていたとも言われている。

釈尊入滅後、500人の比丘が一堂に会して、比丘らが記憶していた会話形式の話を確認することが行われている。これは第一結集と呼ばれている。釈尊存命中の言行録ともいえる教えを、各々の比丘がそれぞれの記憶をもとに、正確に記憶するための確認作業をしたわけであるが、その発端は、「釈尊が亡くなったからといって、そんなに嘆き悲しむことではない。これをなせ、それをしてはならぬと我々を束縛していたのだから。今やそんなことをいう人もいなくなったので、これからは何でも自分の思い通りにできる。悲しむどころか、むしろ喜ばしいことではないか」と言いふらしている比丘がいたことにはじまる。高弟の一人であるマハーカッサパ（Mahākassapa、摩訶迦葉）という比丘がこれを聞き、悪比丘が栄えないうちに、正しい教えを確立しておくことが必要である、きちんと後世に伝えるためにも、教えを確認する会を開かなければ仏教は滅びてしまうという危機感を感じてのことだったと伝えられている。それらが後に仏典として受け継がれていくことになるわけである（水野 2004）。

この釈尊の言行録ともいうべき仏典であるが、釈尊が「どこで」「誰に」「何を」語ったのかについては言及されているものの、「いつ」については「ある時」という言葉でしか示されていないため、時系列での整理がつかないことが特徴として挙げられる。「いつ」については、エピソードなどから類推するしかないため、どの教えが先に説かれたものなのか、初期の教えはどれで、後年の教えはどれなのか、完全にはわかっていない。なお、「いつ」が明確でないことについては北伝仏教においても、南伝仏教においても同様である。

（3）仏教の開祖の呼称

これまで、仏教の開祖の名を「釈尊」として話を進めてきたが、みなさんはどのように呼ぶことが多いだろうか。

「お釈迦さま」や「ブッダ」が呼びやすいという人もいれば、「ゴータマ・シッダールタ」と覚えておられる方もいるであろう。そのほか、釈迦牟尼仏、釈迦如来、世尊等々呼び方は多々あるが、一体、どの呼称が相応しいのであろうか。

まず、「お釈迦さま」の「釈迦」であるが、これは釈尊が「シャーキヤ族」（サンスクリット語 Śākya、パーリ語 sākiya）の出身であったことに由来している。釈迦族の偉い方という意味で、「お」や「さま」の尊称をつけて呼ぶことは理にかなっている。

次に「ブッダ（仏陀、Buddha）」であるが、これは本来「悟った者」「真理に目覚めた者」という意味であるため、厳密に言えば一人を指す名称とはならないかもしれない。

では、一般的に使用されることが多い「ゴータマ・シッダールタ」はどうであろうか。これは、間違いとは言えないものの、正確な呼び方とも言えない呼称になる。

「ゴータマ」はパーリ語のゴータマ（Gotama）であり、「シッダールタ」はサンスクリット語のシッダールタ（Siddhārtha）であるため、「ゴータマ・シッダールタ」はパーリ語とサンスクリット語を合わせた呼称になってしまう。そのため、パーリ語に統一して「ゴータマ・シッダッタ（Gotama Siddhattha）」とするか、もしくはサンスクリット語に合わせて「ガウタマ・シッダールタ（Gautama Siddhārtha）」と呼ぶのが正しい表記といえる。最近の社会科の資料集などでは、徐々に修正が加えられているようだが、日本語の言い回しとして「ゴータマ・シッダールタ」の方が言いやすいこともあってか、残念なことに正しい表記はあまり浸透していないのが現状である。

仏教における教えは八万四千の法門と言われるほどたくさんあるが、その中でも心理臨床と関係の深い「苦」について簡単に説明したい。また、どのような方法で説法をしていたかにもはじめに触れておくこととする。

（4）釈尊の説法方法（説示方法）

古来より釈尊の説法は「対機説法（たいきせっぽう）」であると言われる。対機説法とは、相手のもっている資質やその時に心の状態に合わせて法を説くことであり、釈尊はその対機説法に長けていたことで知られている。それは、医者が患者の病気や状態に応じて必要な薬を与えることにも譬えられ、「応病与薬」ともいわれる。[※5]

釈尊は出家者や在家信者に教えを説くだけでなく、ヒンドゥー教の基となったバラモン教の司祭（バラモン）や、仏教以外の種々の修行者、長者、王様などとよく話をしている。釈尊は、質問や疑問を投げかけられ、それについて答えるという流れの経典がよくみられるが、その際は、説く側が説きたいことを一方的に説くのではなく、相手に「この場合、あなたはどう思いますか？」といった問いを何度も重ねながら、譬喩を交え、相手に応じた法を説いていた。相手の理解度や置かれている状況、今必要なことはどのようなことかを考え、相手に合った教えを説くために問答を重ねるのである。機が熟していないと高度な教えを聞いてもわからないであろうし、本人が今必要としている教えでないと意味がないことはもちろんであるが、相手と対話をし、本人がその問題を自分のこととして考える縁を与え、回答に導くとことをしていたのである。

対機説法の中でも有名なものが「次第説法（しだいせっぽう）」と呼ばれるものである。これは、「施論」「戒論」「生天論」という当時のインドで、一般的に正しい学説であるとされていた因果を具体的にわかりやすく述べることから始まる。貧しい人々や出家者に施しをし（施論）、道徳的な戒律を守れば（戒論）、来世には天国のようなところに生まれることができる（生天論）という基本的な善因善果、悪因悪果から話を始め、仏教的な教えを順々に説いていく方法であり、経典の中では、一種の定型句となっている。

一般の書籍や専門書などでも、長らく「次第説法は在家信者に説く」と記されてきたが、これは大きな誤解であったことがわかっている（鮫島 2017, 412–415）。次第説法は、前述のパーリ仏典や漢訳仏典において、すでに仏教教団に属している在家信者に説かれることはなく、バラモンや修行者、長者等の仏教の教えに触れたことのない未信者にのみ説かれ、いずれも聖者[※6]の域にまで達する説法であることもわかっている。ここで次第説法についての詳細は省くが、次第説法をはじめとする対機説法の考え方は心理臨床においても必要なことであろう。

心理臨床では、もちろん相談に訪れた人に対して教えを説くということはなく、助言やアドバイスもほとんどすることはないが、相手の今置かれている状況、本人の精神状態などをよく考えながら、対話を重ね、相談者本人が自分なりの回答に到るという意味では、対機説法と心理臨床は共通している点が多いと考えている。対機説法については、後でお話をすることにしよう。

(5) 四諦(苦集滅道)と四苦八苦

仏教では、この世は苦であると説くため、とかく厭世的であるといわれることもあるが、これは、まず現実世界は苦しみや悩みがある世界であることを認識し、その苦の原因や考え方を見つめ、それらを知った上で、苦を取り除く方法や苦の状態から脱する方法について教えているのだともいえる。心理臨床においても、相談のそのほとんどは悩んでいることや困っていること、つらいことであることが多く、苦しみについての相談と言ってよいであろう。そのような意味では、仏教は時代を超えて、現代に生きる私たちにとっても示唆に富む考え方の宝庫といえるであろう。

「苦」についての分類で有名なものは四諦(したい)※7(苦集滅道(くじゅうめつどう))であるが、それぞれを肉体的な病気にたとえるとわかりやすいであろう。

苦諦：現実の状態　⇓　病状
集諦：苦の原因　⇓　病気の原因
滅諦：苦がなくなった理想的な状態　⇓　心身共に健康な状態
道諦：理想的な状態となる方法、手段　⇓　病気を治して健康になる方法

苦について、より細かく見ていくと、生老病死(しょうろうびょうし)と言われる「四苦」、その四苦に怨憎会苦(おんぞうえく)、愛別離苦(あいべつりく)、求不得苦(ぐふとくく)、五取蘊苦(ごしゅうんく)※8を入れて「八苦」となる。※9現代でも、思うようにいかない時や苦労している時に使われることがある「四苦八苦」であるが、仏教用語から来ている言葉の一つである。そのほか、

三苦（苦苦、壊苦、行苦）[※10]という分け方をすることもあるが、ここでは、八苦までを説明しておく。

生苦：生まれる[※11]苦しみ
老苦：老いの苦しみ
病苦：病の苦しみ
死苦：死の苦しみ
怨憎会苦：嫌いな人、憎い人と会わなければいけない苦しみ
愛別離苦：愛する者と別れる苦しみ
求不得苦：求めても得られない苦しみ（思いどおりにならない苦しみ）
五取蘊苦：五蘊[※12]から生じる苦しみ、前七苦を概括した苦しみ[※13]

現在の日本を見てみると、釈尊が生きていた約2500年前からは、比べようもないくらい発展し、社会の形態も変化している。しかし、種々の「苦」について見てみると、どのくらい変化しているであろうか。医療技術の発達によって寿命は飛躍的に伸びたが、老いの苦しみがなくなったわけではない。病苦についても、克服された病もたくさんあるが、それでもなお、治癒が困難な病も多く存在し、そこには多くの苦しみがあるであろう。また、怨憎会苦に至っては、うまの合わない人に会うことや嫌いな人に会う苦しみは、異なった価値観を持つ多様な人間が生存するこの世においては、これからもなくならないことであろうし、生死別を問わず、愛する者と別れる苦しみは避けがたいものであろう。あれがほしい、こうなりたいと求めても得られない苦しみは、生きる上での欲求にも直結し

た苦しみであろうし、向上心の源ともなる部分であるため、無になることはこれまた難しい。

こうして考えていくと、人間の内面の感情は何ら変わっていないことに気づくであろう。人々は、何千年経っても、今も昔も同じ感情を持ち、同様の出来事に苦しみを感じる。着る服や食べるもの、そして住環境も変わり、快適な暮らしを手に入れたとしても、欲するものがなくなるわけではなく、苦しみ、恐れ、怒り、喜びなど本質的なものは時代を経ても何も変わらないと言っても良いのかもしれない。

2 心理臨床と対機説法

(1) 日本における心理臨床と心理療法

ここまでは仏教について、特に原始仏教の特徴や、「苦」について述べてきたが、次に、話を心理学に戻して進めていこう。

心理臨床は、元々、「臨床」の語が「(病) 床に臨む」と書くとおり、狭義には医療分野において使用される語であるが、今日では、「現場」の意味合いも含み、医療のみならず、学校や企業などでも使用されている。皆藤氏は「心理臨床とはなにか」(皆藤 2007) の冒頭で、「心理臨床は、悩みを抱えた人や苦しみのなかに生きる人にたいして、どのような心理的援助ができるのかという、きわめて実際的な要請から生まれたひとつの実践・研究領域」としている。臨床心理士などの心理資格を持った心理臨床家が、心理療法などの心理学的手法を使い、医療領域や教育領域などの現場で心理的な援助を行うことと捉えることを心理臨床ということもできるが、本章では、心理臨床の専門家に限定せず、心理的な支援に興味がある人を対象とし、悩みを抱えた人や苦しみの中にいると思われる人に対して、どのような心理的な援助ができるか、また、そうした悩みの中にある人への心理的支援にはどのような心構えが必要かについて、仏教的な教えの特に対機説法について焦点をあてて考えていきたいと思う。

現在、心理療法として有名なものは、フロイト（Freud, S.）の精神分析やユング（Jung, C. G.）の分析心理学、ロジャーズ（Rodgers, C. R.）の来談者中心療法、アイゼンク（Eysenck, H. J.）の行動療法、そしてその行動療法の流れを汲む認知行動療法や、家族を一つのシステムとみる家族療法、エリス（Ellis, A）の論理療法、子どもたちに用いられる遊戯療法など、その他さまざまな心理療法があり、それぞれの心理臨床家に実践され、今日も多くの悩める人たちの心理臨床に役立てられている。

心理臨床と心理療法は、前述のように我が国において実施されている心理療法のほとんどは西洋で考案されたものを各研究者、臨床家が日本に導入したものである。日本人が馴染みにくい部分については、日本の文化に合うように多少なりとも修正し、改良を重ねながら取り入れてきたものである。これらの心理療法は西洋からの輸入であるため、思想的背景としてはキリスト教の教えが流れている心理療法ということになる。むろん、それらキリスト教圏で作られた心理療法はいずれも有用性が確認されているものであり、西洋で開発された心理療法を用いたとしても、人間の悩みや苦しみというものは、古今東西、大きく変化はしていないため、日本人にとっても有用な心理療法が多いであろう。しかし、現実問題として、西洋と日本では価値観や文化差など差異がみられることも事実であるため、すべてがしっくりくるというものでもないことは確かである。

日本人が創始した心理療法も数こそ少ないものの、有効な心理療法として実践されている。有名なものとしては、浄土真宗の僧籍を持つ吉本伊信によって作られた内観療法や精神科医の森田正馬が開発した森田療法、臨床心理士第1号の成瀬悟策が考案した動作法（臨床動作法）などがあるが、内観療法と森田療法については、仏教的な思想を見てとることができる。

日本は無宗教の国だと言われることが多いが、日本に根付いている宗教としては、神道と仏教といって良いであろう。神道に由来した心理療法を寡聞にして知らないが、仏教的な考え方に基づく心理療法はこれからの日本にとって必要なものとなってくるであろう。

また、精神科医でもある平井孝男氏は原始仏教の考え方を取り入れた心理臨床を実践している。前述した「苦」と精神疾患についても著書（平井 2015）の中で詳述しているが、愛別離苦とうつ病の治療例や、怨憎会苦と対人恐怖、求不得苦とうつ病・ヒステリー、五取蘊苦と自律神経失調症、中道の考え方から見た強迫神経症・拒食症・過食症、無明と精神病・境界例、精神医療と薬など、仏教の観点を取り入れた心の病と治療法は、医師や心理臨床に携わるもののみならず、参考になることが多いであろう。より専門的な内容を知りたい方は平井氏の著作をお読みいただくとして、本章では、仏教心理学の導入として語れることのみにとどめることとしたい。

（2）対機説法（1）

ここからは、心理臨床としても大事な対機説法についてお話していきたい。対機説法については、「釈尊の説法方法」（p. 91）でも述べたとおりだが、釈尊はそうした「相手に合わせて法を説く」ということだけではなく、大乗仏教でいうところの「仏性」ともいうべきものを前提に、法を説いていたのではないか。そうした魂の本質を前提にして対峙してこそ、相談に訪れた人が自分の力で解決していけると思うからである。

対機説法の一例として、仏典に残る比丘のエピソードと筆者が学校臨床において出会った一例をお話してみたい。

① 物覚えの悪い比丘チューラパンタカ

学校教育では、勉強などの教科学習以外にも、運動会や移動教室など様々な行事を体験することができる点で子どもたちにとって貴重な場である。集団生活で必要なルールであったり、友だち同士のコミュニケーションや目上の先生方とのやりとりを通して、大人になってから必要な様々なことを学んでいく場ともなっていることは事実であろう。しかし、やはり学習や勉強のウエイトは高く、勉強ができない、授業についていけないという子はどうしても劣等感を感じてしまうものである。そのため、保護者もどうしたら勉強ができるようになるかと考え、塾に通わせたり、家庭教師をつけたり、なんとか授業についていけるように腐心していることが多い。

出家僧の中にも、愚鈍で、記憶力の悪かった比丘がいるが、そのチューラパンタカ（Cūlapanthaka：周利槃特（しゅりはんどく））の話をしてみたいと思う。チューラパンタカは、4ヶ月かかっても一つの短い詩を覚えることができなかったとされ[※14]、賢く、頭の良かった兄のマハーパンタカ（Mahā-panthaka）は、弟の状態に頭を悩ませていた。何とか弟を一人前の比丘にしたいと思っていたものの、見るに見かね、弟に対し、在家に戻るべきだと言い渡したのだった。チューラパンタカは途方にくれ、夜明けに家に帰ろうとしているところ、釈尊と出会い、兄に見放されたことを告げた。

「チュッラパンタカよ[※15]、お前は私について出家したのだ。兄に追われたのなら、どうして私のところに来ないのか。さあ、私のところに来るがよい」

と言って、精舎に連れ帰り、自分の部屋のまえに坐らせ、一枚の布を与えて、つぎのように教えた。

「チュッラパンタカよ、ここにいて、東の方に向い、〝ちり、あかを除け。ちり、あかを除け〟と言ってこの布を撫でていなさい」

チュッラパンタカは言われたとおり、そこに坐って太陽を仰ぎながら「ちり、あかを除け、ちり、あかを除け」と言って、その布を撫でつづけた。

このようにするうち、かれが手に持っている布はすっかり汚れてしまった。この布を見ながら「この布はブッダから手渡されたときは、手垢もなくまっ白だった。それなのに私のためにこんなに汚れてしまった。諸行は無常であるとは、こういうことを言うのであろう」と思った。

このような彼の心の動きを知ったブッダはすかさず、

「チュッラパンタカよ、この布だけがちりやあかに染まったものと思ってはならない。人間の心のなかにあるちりやあかを除きとることが重要なのだ」

と説き聞かせた。さすがのチュッラパンタカもブッダが教えようとしていることがよくわかり、やがて阿羅漢(あらかん)と呼ばれる聖者の位にのぼった。生来の愚鈍といわれたチュッラパンタカは、一たび聖者の位にのぼってからは、多くの神通力を示したという。

（菅沼 1990, 60–61）

この逸話からは、色々なことを見てとることができるであろう。

一つは、肉体に由来する頭の回転の速さや記憶力の悪さと覚りは関係がないということである。チューラパンタカは釈尊の適切な導きがあってこそ阿羅漢という聖者の位に上ることができたとも言えるが、物覚えが悪い、記憶したと思ったことをすぐに忘れてしまうということと、覚りは別物だということがこの逸話からわかる。

そして、もう一つは、物覚えが悪く、愚鈍だと言われていたチューラパンタカであるが、一枚のきれいな布を撫で続けているうちに汚そうと思っていたわけではないのに、その布が汚れ、汚くなってしまったことを見て、「心」もこの一枚の布と同じであることを覚ったわけである。

毎日、日々の暮らしに精一杯の我々もいろいろなことを考え、感じることで良い思いや悪い思いが去来することであろう。そうした様々な思いが布と同じように心に汚れをつけてしまう。そのため、いつも心の汚れを取るという本当の意味での反省（仏教でいうところの八正道）が必要であるということを教えてくれているのではないだろうか。

② 授業についていくのが難しい子

ここからは筆者が小学校のスクールカウンセラーをしていた時の話になる。

ある時、息子の学力を心配して母親が相談室に訪れた。すでに教育相談所の方で知能検査を済ませ、通常学級での勉強についていくのは難しいと判断され、特別支援学級の案内を受けていたようであった。「息子が変な目で見られるのではないか」「どのような扱いを受けるかわからない」という心配をされていた。母親としては、息子のことを考え、なんとかこれまでどおり通常学級で慣れ親しんだ友だちと一緒に勉強ができないものかと思い、一縷の望みを託し、相談室を訪れた様子であった。保護者としては、我が子のことを考え、どのような事態になるかを想定し、あらかじめなるべく回避できることは回避したいと考えるのは当然である。

ただ、特別支援学級に行くことになった場合、特別支援学級に在籍中の子どもたちはその子と同じ境遇にいるわけであり、新しく入ってきた子に対して「変な目で見る」ことはないであろうから、今在籍中のクラスの子どもたちの目を気にしているのであろうか、それともクラスの子どもたちの保護者から息子が変な目でみられることを心配しているのだろうかと、少し合点がいかない部分もあった。

初回は、これまでの経緯や母親の思いなどを丁寧聞くにとどめ、2回目の相談に臨むことになった。これまで手塩にかけて育ててきたことなどが語られ、我が子に愛情をもって接していることが伝わってきた。しかし、どうしても「変な目で見られる」ということが引っ掛かっているようであったので、

「どのように変な目で見られると思っているか」について聞いてみたところ、息子は普通の子とはちょっと違うからとか、物覚えが悪いことでいじめられるのではないかという心配があることがわかった。やはり筆者の納得する返答は得られなかったが、そのまま3回目の相談日となった。

母親は席に座るなり、「先生、わかりました。私自身が息子を〝変な目〟で見ていたんです」と話を始めた。息子が他の子どもたちや保護者に「変な目で見られる」と思っていたことは、実は、特別支援学級に息子を入れることで、ママ友や親戚などから母親自身が「変な目で見られる」ことの恐れであり、心配だったのである。息子のことを心配していたのではなく、自分自身がそう見られることを恐れていたこと、本当は自分のことばかり考えていたのだと、涙ながらに話してくださった。これは、心理学でいうところの「投影」と言えると思うが、母親自身が息子のことを通して自分の内面と対峙し、自身が偏見を持っていたことに気づいたことが一番大きなことではないだろうか。

誰しもこうした偏見は気づかぬうちに持っているものであろうし、このようなことを人に話すのは勇気がいることであろう。しかし、この母親は誠実に息子の問題に向き合い、悩み、苦しんだことで、「気づき」を得たのである。今も相談室を出て行かれる時の清々しい笑顔を思い出すことがあるが、その笑顔と同時に、きっとこれからも自身の力で様々なことを解決していかれるであろうことを確信した瞬間でもあった。

（3）対機説法（2）

ここでは、医療機関で相談業務をしている時のエピソードをお話してみたい。詳細はお伝えできないため、概略だけになることをお許しいただきたい。

その医療機関では、企業で実施されているストレスチェックについてのフィードバックを行っていたが、その際のことである。通常、結果をご説明することが主であるため、15~20分程度で終わることが多いが、50代の女性は娘の引きこもりを心配しているというお話をされた。本来、本格的なカウンセリングをする枠ではなかったが、この女性にとってのストレスは娘さんのことであると思ったため、お話を伺うことにした。

お話によると、娘さんは大学卒業後、就職し、数年仕事をしていたものの、退職後はアルバイトのような形でも仕事をせず、ずっと家にいる毎日だという。母として、責めないように、そして根掘り葉掘り聞き過ぎないようにしながら、何かできないかと、声をかけたり、相談に乗ろうとしたりしたようだった。だが、会話らしいものは成立せず、「うん、そうだね、そのうち」というような返答ばかりであったらしい。そんな状態が数年続いているようで、どうしたらいいかとずっと悩んでこられたようだった。

お話を聞いていると、その女性は娘のことを本当に心から心配しており、どうしたらよいかと思っていらっしゃることが良く伝わってきた。こうした時、中には、世間体が悪いとか、親戚からいろいろ言われている等のお話をされる方もいらっしゃるが、この方はそうしたことは一切なく、自分よりも娘のことを案じていることしか話されない方であった。こういう時は、事態がすぐに良くなる、改善することはカウンセラーであればすぐにわかるものである。

私はその女性に、「大丈夫です、すぐに娘さんは自分の力で動き出しますよ」と自信をもって伝えた（通常であれば、そのようなことは言わないが、相手の状況から判断した返答として、対機説法に近いものだと思っていただきたい）。はじめはキョトンとした顔をされていらっしゃったが、希望を感じたのかすぐに明るい表情となられた。

そして、「まずお母さん自身が〝大丈夫〟と自信を持つこと、「娘はきっと良い方向に向かう」と信じること、お母さん自身が太陽のように娘さんを温かく照らし続けることなどを伝え、元気が出てきたら自然と仕事を探し始める行動に移るであろうことなどをお話しした。

このストレスチェックの結果報告の場は、一回だけのため、その後、この女性にお会いすることはなかった。その後、どうされたかなと思いながら、半年くらいが過ぎた頃のことである。その医療機関にお礼のお電話があったそうである。私は勤務日ではなかったため、直接お話を伺うことはできなかったが、「言うとおりに行動してみたら、娘が仕事を探し始め、職を見つけ、現在は仕事に行くことができている」という感謝のお電話であった。このような例はそう多くはないが、あと一歩のところまで来ている方の手助けであれば、このように早く良い結果をもたらすこともあるという一例かもしれない。相手の状況を見て、一番良いと思うことを伝えるということも対機説法の例として好例になるかはわからないが、一回の相談で事態が改善することもある例として書かせていただいた。

悩みを抱えている人は、悩みに押しつぶされそうになり、どうしたらいいのかわからない、解決できない、誰かに助けてほしいと思い、相談室を訪れることが多い。そのような時、サポートする側にとって一番大事なことは、悩みを抱えている本人が自分の力で立ち直っていける、自分の力で自分を癒していけることをどのくらい信じているかということであろう。たとえ今は、外界の事象に振り回され、事態が大きな岩のように、自分では到底動かせないようなものだと諦めていたとしても、それは決して動かし得ない大岩ではなく、大きな氷の塊のようなもので、その氷自体を己の力で溶かし、水にし、水蒸気にして空気中に蒸散させ、あたかもそこには何もなかったかのようにすることも可能なのが、本来の人間の持つ力なのである。人間は、2mに満たない肉体を持ち日々生活してはいるが、決して卑小な存在ではなく、いろいろなものを創造し、どのようなことも自由に行える存在であると心底信じることができることこそが重要なのではないだろうか。

心理的な支援を行うことになった際は、その力が「今は」発揮できない状態にあるだけであり、その人本来の力が戻るように、そして、本来人間が持つ力を心の底から信じ、本来の力を取り戻すまで寄り添っていることが大切なところであると思う。

3　仏教心理学を学びたい方へ

今、現代に釈尊が生きていたら、どのような教えを説くであろうか。そして、今、世界で起きている出来事を見て、どのようなことを思うであろうか。

仏教の教えは八万四千の法門といわれるように、北伝仏教、南伝仏教を合わせると、膨大な教えが説かれている。その一つ一つを心理臨床に応用していくこともとても大切なことであると思うが、仏教の教えに触れ、心を動かされることで人の役に立ちたいと思い、他の人々の心の支えとなって何かできないかと思う、それらのすべてが仏教心理学の根底にあるのではないかと思っている。

また、これまで仏教に親しんできた方は、心理臨床や臨床心理学について学ぶことで、多くの親和性に気づき、仏教も心理学もどちらも学びたいと思っていることであろうし、宗派の教義に心理学を重ね合わせ、講和などの際にもお話いただけるのではないかと思う。

ただ、仏教や心理学を一から学ぶのはそうたやすいことではないことも事実である。どちらも専門用語の解釈が難しく、本当の意味で理解することはそう簡単なことではない。ましてや、仏教と心理学をある程度マスターしてからそれを実生活に活かしたり、実践したりしようとすると、短い人生があっという間に終わってしまうであろう。それでも、仏教だけでも一から学びたいとか、臨床心理学だけでもきちんと勉強したいという方は大歓迎である。ぜひどちらからでもいいので、学びはじめていただきたい。

また、仏教の教えを学ぶのは大変そうとか、臨床心理士等の心理系の資格も持ってないし…と思われた方は、どちらからでも、そして興味を持った分野からでも良いので、読みやすい、わかりやすい本から読むことをお勧めする。章末の引用書籍も参考に選んでいただけると幸いである。

本書を手にとられた方は、仏教と心理学に興味を持っている方、そして、仏教と心理学に可能性を感じておられる方、仏教心理学というのはどういうものか知りたいなどいろいろな方がおられるであろう。私自身、今なお仏教と心理学の可能性を追究し、格闘している者の一人であるが、臨床心理士として、そして原始仏教を繙く者の一員として、最後に思うところを述べてみたい。

臨床心理士、公認心理師、産業カウンセラー等の有資格者に限らず、困っている人や悩んでいる人の役に立ちたい、少しでもそういう方々の相談に乗りたい、悩みを解決して差し上げたいという方はきっと多くいらっしゃることであろう。そして、それにはどうしたらいいかと考え、実際にいろいろな勉強を始めていらっしゃる方も多いであろう。そのような方々がたくさん増えてほしい、そして、多くの方の悩みや苦しみが減ることを願っている。

臨床心理士という制度を一から立ち上げた故河合隼雄先生の著書『ユング心理学と仏教』（河合 2010）にはこのようなことが書かれている。箱庭療法を日本で最初に導入したことでも知られる河合氏が、クライアントに箱庭を思い切って勧め、これで「治すことができる」と思った後のくだりである。

> すると彼女は「私は別に治して欲しくないのです。私はここに治してもらうために来ているのではありません」と言いました。それでは何のために来ているのかと問うと、彼女は「ここに来ているのは、ここに来るために来ているだけです」とはっきりと言いました。
>
> この一言は私に重要なことを教えてくれました。心理療法によって誰かを「治す」ことなどできない、と私は思っています。（中略）心理療法で最も大切なことは、二人の人間が共にここに「いる」ことであります。その二人の間は「治す人」と「治される人」として反映されるべきではありません。二人でそこに「いる」間に、一般に「治る」と言われている現象が副次的に生じることが多い、とい

うべきなのでしょう。

そうなると、いったい治療者は何をしているのでしょうか。治療者の役割は何なのでしょうか。このあたりのことを真剣に考えはじめたところで、私にとって仏教ということが大きい意味を持ち始めました。仏教の教えに従って心理療法をしていたのではありませんが、自分のしていることの意味を考える上で、仏教の教えが役立つことに気づきはじめました。

（河合 2010, 52–54）

ここで重要なことは、治してほしくないと思っている人もいるということと、もう一つ、心理療法家やカウンセラー、心理的な支援をする人が「治す人」で、クライアントが「治される人」となってはいけないということである。

相談を受ける側になると、苦しみの渦中にある人をなんとかしてしてあげたい、ひいては治してあげたい、治さなきゃという思いに陥りがちであるが、そうすると、相談している側は余計に「治してほしい」「この人ならなんとかしてくれる」という思いを抱きかねない。こうなると「共依存」という関係になり、知らないうちにお互い依存しあう関係になりかねないのである。そうなると益々改善からは遠ざかってしまう。また、こうしたことを重ねていくうち、カウンセラー的な立場にある人が「治す人」としての立場を固定化してしまうことにもなりかねず、徐々にベクトルが変わってしまうことにもなりかねない。これは聖職者全般にも言えることかもしれないが、教える立場、説法を説く立場が自分自身の実力や覚りであると勘違いし、魔境にもなりかねないため、常に心しないといけない部分と言えるだろう。自戒を込めてここに記しておく。

前述したように、心理的な支援をする者はあくまでも寄り添い、支えているにすぎないということである。誤解を恐れずに言えば、自分を救う者は自分しかなく、他者はあくまでもその支えになることしかできないのである。ただ、人は一人で生きているわけではなく、そうした周囲の支えが大きな力になることは多い。他者への尊敬、慈しみ、優しさをもち、悩みの渦中にある方自身の本来の力を信じ、全力で支えることに徹することで、種々の事態が好転していくことを実践していきたいものである。

釈尊は入滅間際だけでなく、それ以前にも、「自分を救う者は自分自身である」ことを説いている。一般には「自燈明法燈明」として知られているが、パーリ語の訳としては「燈明」ではなく、「洲(島)」とするのが良いとされ、「自州法州」(水野 2006, 163–164) とされることもあるが、最後に、法句経の中の一節を挙げて終わりとしたい。

Khuddakanikāya Dhammapada 160（クッダカニカーヤ　ダンマパダ　１６０）

Attā hi attano nātho, ko hi nātho paro siyā;
Attanā hi sudantena, nāthaṃ labhati dullabhaṃ.

訳

おのれこそ　おのれのよるべ、おのれを措きて　誰によるべぞ
よくととのえし　おのれにこそ、まことえがたき　よるべをぞ獲ん

現代語訳　まことに自己こそ自己の救護者である。一体、だれがこの自己の外に救護者になりうるものがあろうか。よく制せられた自己にこそ、吾らは他にえがたき救護者を見出すことができる。（友松 1985, 111）

注

※1　この初期仏教をさらに二分して、前半を根本仏教、後半を狭義の原始仏教とする説もある（水野 2006, 37）

※2　大乗仏教に対して小乗仏教という呼び方を使用したが、「小乗」という呼称は、「大乗」＝「大きな乗り物（マハーヤーナ：Mahāyāna）」に対して、「小乗」＝「小さな乗り物（ヒーナヤーナ：Hīnayāna）」という意味であり、これは部派仏教を揶揄した大乗仏教側からの蔑称といえる。そのため、部派仏教の上座部が多い東南アジア諸国の人たちが自ら「小乗」を名乗ることはなく、「上座部（テーラヴァーダ：Theravāda）仏教」と呼ぶことに留意いただきたい。

※3　パーリ（Pāli）とは聖典の意であり、「経・律・論」を指す。セイロン（スリランカ）、ビルマ（ミャンマー）、タイ（シャム）等の東南アジア諸国に広まった南方上座部（南伝仏教）の仏教聖典に用いられている言語である。

※4　初期仏教を使用する研究者の中でも、どの範囲までを初期とするか意見が分かれるところであるため、本章では、古くから使用されている「原始仏教」の語を使用することとした。

※5　対機説法は、そのほか「随機説法」「因機説法」「応機説法」「応機接物」等様々な呼び方がある。

※6　「四向四果」と呼ばれる覚りの段階（預流向、預流果、一来向、一来果、不還向、不還果、阿羅漢向、阿羅漢果）に入ったとされる者のこと。「預流向」は欲界、色界、無色界の煩悩を断じつつある状態のため、正確には「預流果」以降が聖位といえる。施論（dāna-kathā）、戒論（sīla-kathā）、生天論（sagga-kathā）から始まり、四諦（苦集滅道）までの次第説法（anupubbi-kathā/ānupubbi-kathā）が説かれた際は、その説法を聞いた者は最低でも預流果以上の段階に達することがわかっている。

※7　諦（sacca, satya）とは、「真理」の意。

※8　「五取蘊苦は、旧訳では五盛陰苦とされているが、今日の日本ではこれを五陰盛苦として用いる人があるが、これは誤りであって、このような訳語はどこにもない」（水野 2006, 198）

※9　南伝大蔵経、律蔵大品一九頁「比丘等よ、苦聖諦とは此の如し、生は苦なり、老は苦なり、病は苦なり、死は苦なり、怨憎するものに曾ふは苦なり、愛するものと別離するは苦なり、求めて得ざるは苦なり、略説するに五取蘊は苦なり」

※10　四苦八苦はいずれも、この三苦のいずれかに入る。苦苦（肉体的な感覚に伴う苦。熱い、冷たい、皮膚が切れたら痛いなどの痛覚神経に伴う苦）、壊苦（事物が衰え亡びることに伴う苦。破壊損失などによって感じられる苦。経済的に困窮したり、老い衰えていくなど失望落胆する精神的な苦）、行苦（起きている現象が苦。迷いを離れ覚者となっていないものにとって、様々なこの世で起きている事象はすべて苦）（水野 2006, 167）

※11　「生きる苦しみ」と書かれている書籍も見受けられるが、正確には、この世に「生まれる苦しみ」とするのが一般的である。

※12　蘊（skandha, kandha）とは、「集まり」の意である。五蘊は、色（肉体や物質）・受（苦楽などの感受作用）・想（表象を作る作用）・行（心のはたらき）・識（判断・認識する心の主体）のこと。

※13　八苦に四苦（生老病死）を入れて八苦とすることと同様、四苦に怨憎会苦、愛別離苦、求不得苦を入れて五取蘊苦とされる。

※14　クッダカ・ニカーヤ（Khuddaka-Nikāya）所蔵のジャータカ（Jātaka）には、釈尊の前世の物語が多く書かれているが、一部、比丘等の物語も書かれている。ただ、ジャータカ自体は2、3行の詩句のみをまとめているものであり、それらの詩句に付随する物語は、すべて後代の注釈書（アッタカター）に書かれているものとなる。チューラパンタカの物語は種々語り継がれているが、原始仏教経典と大乗仏教経典では異なる部分も見られる。「自分の名前さえも覚えることが出来なかった」とされることもあるが、パーリ仏典の経蔵（ニカーヤ）、律蔵（ヴィナヤ）その他注釈書（アッタカター）においては、そのような記述は見当たらない。

※15　菅沼（1990）では、チューラパンタカを〝チュッラパンタカ〟としているが、ジャータカ（Jātaka）注釈書（Aṭṭhakathā）ではチューラパンタカ（cūḷapanthaka）となっているため、引用部分以外はチューラパンタカとした。

引用文献

皆藤章編著　2007.『よくわかる心理臨床』ミネルヴァ書房.

河合隼雄　2010.「ユング心理学と仏教」河合俊雄編『ユング心理学と仏教〈心理療法〉コレクションV』岩波書店（岩波現代文庫）.

鮫島有理　2017.「次第説法とはどのような説法か――施論、戒論、生天論は誰に説かれるのか？――」『印度學佛教學研究』66(1).

菅沼晃　1990.『ブッダとその弟子89の物語』法藏館.

友松圓諦　1985.「第十二章　自己」『法句経』講談社（講談社学術文庫）.

平井孝男　2015.『仏陀と癒しと心理療法』法藏館.

水野弘元　2004.『経典はいかに伝わったか――成立と流伝の歴史――』佼成出版社.

水野弘元　2006.『仏教要語の基礎知識』春秋社.

第5章

佛教とユング心理学
――スピリチュアル・エマージェンシーの観点から――

佛教大学教授　鈴木 康広

はじめに

ひとはどれだけ夢をみるのだろうか。夢はときとして啓示的であったりする。それは夢の告知として捉えられる。いわゆる「大きな夢 big dream」[※1]と呼ばれるものである。日常的な家族・友人や状況などが登場するのではなく、予想もしないような非日常的な内容の「元型的なイメージ」[※2]が顕われる。夢見手にとっては、強烈な印象を与える夢である。

筆者は、なぜ「悟り体験」に興味をもつに至ったか、その時に筆者自身が精神的窮境状態にあったから尚更「啓示」として感じられたことを、ユング研究所に提出した Diploma Thesis（日本語版：『宗教と心理学――宗教的啓示と心理学的洞察の対話』創元社、2011年）で述べた。筆者自身の「大きな夢」が、人生上の岐路において、ユング派としての道のりを導いたのである。

この精神的窮境状態は、人生の危機的状況に遭遇して極度に緊張感が高まった状態において、一種の神秘体験（夢の告知）をもたらしたのであり、スピリチュアル・エマージェンシーの一例（井上2012）と言えるかもしれない。

筆者は、中年期危機ともいうべき精神的窮境状態において、河合隼雄著の『明恵　夢を生きる』（京都松柏社、１９８７年）を読んで、「夢の告知」を得たのだが、以下において、鎌倉時代を代表する仏僧である、法然、明恵、親鸞の「夢の告知」を、スピリチュアル・エマージェンシーの観点から検討したい。いずれも、厳しい求道生活、苦難の連続のなかで、「命を賭けた」態度で仏教に対してゆこうとした（河合 1987, 263）。そうして、人生の転機においてその後の人生を決定づける、一種の神秘体験としての「夢の告知」がもたらされたのである。

年代順に、１１７６年法然43歳の夢「善導と法然が対話する夢」、１１９６年明恵24歳の夢「文殊の顕現」、１２０３（１２００）年親鸞29歳の夢「六角堂の夢告の夢」を検討していきたい。

1　夢の告知

（1）1176年法然43歳の夢「善導と法然が対話する夢（二祖対面の夢想）」

１１３３（長承二）年生まれの法然は、20代から30代にかけて黒谷で厳しい求道生活を送り、従来の比叡山の教えに飽き足らず、自身の道を模索していた。そのなかで中国の唐時代の善導（613–681, 約５００年前）の教えに出会う。そして43歳時「夢の告知」があり、夢の中で、法然は善導と対話する。

法然にとって自らの道への〝自覚と覚悟の促し〟（名島 2009）となった。

名島（2009, 146–147）によると、法然にとって善導は、法然自身が『選択本願念仏集』のなかで「偏依善導一師」（偏に善導一師に依る）と明言しているように、唯一の善知識であった。法然自身の真筆が発見されていないため、善導と法然が対話する夢の真偽や夢を見たときの法然の年齢についてはさまざまな見解がある。

「法然聖人御夢想記」（親鸞『西方指南抄』親鸞聖人全集刊行会編１９８０の中本）によれば、夢は次のようなものである（名島、前掲書）。

或夜夢にみらく、一の大山あり、その峯きわめて高、南北ながくとおし、西方にむかえり。山の根に大河あり、傍らの山より出たり、北に流れたり。南の河原眇眇としてその辺際をしらず。林樹滋滋として、そのかぎりをしらず。ここに源空たちまちに山腹に登て、はるかに西方をみれば、地より巳上五十尺ばかり上に昇て、空中にひとむらの紫雲あり。以為、何所に往生人のあるぞ哉。ここに紫雲とびきたりて、わがところにいたる。希有のおもいをなすところに、すなわち紫雲の中より、孔雀・鸚鵡等の衆鳥とびいでて、河原に遊戯す。沙をほり、浜に戯。これらの鳥を見れば、凡鳥にあらず、身より光をはなちて、照曜きわまりなし。そののちとび昇て、本のごとく紫雲の中に入了。ここにこの紫雲、このところに住せず、このところをすぎて、北にむこうて、山河にかくれ了。また以為、山東に往生人のあるに哉。かくのごとく思惟するあいだ、須臾にかえりきたりてわがまえに住す。この紫雲の中より、くろくそめたる衣着僧一人とびくだりて、わがたちたるところの下に住立す。われすなわち恭敬のためにあゆみおりて、僧の足のしもにたちたり。この僧を瞻仰すれば、身上半は肉身、すなわち僧形也、身よりしも半は金色なり、仏身のごとく也。ここに源空合掌低頭して、問うてもうさく、これ誰人のきたまうぞ哉。また答曰、われは善導也。また問もうさく、なにのゆえに来たまうぞ哉。また答曰、不肖なりといえども、よく専修念仏のことを言。はなはだもて貴とす。ためのゆえにもて来也。また問言、専修念仏の人みなもて往生を為哉。いまだその答をうけたまわらざるあいだに、忽然として夢覚了。

大きな山の中腹に立つ法然（源空）の許に、紫雲が湧き立つ。紫雲の中から上半身が肉身で、下半身が金色の僧・善導が顕われ、専修念仏が大事であることを説いた。

湧き立つ紫雲は、神々しい圧倒的なヴィジョンである。その中から下半身が金色の善導が顕われる。下半身が肉身でないのは人間的な性欲を超越した、半分「神」である、あるいは錬金術的な意味で、目指すべき究極的な存在であるのだろう。上半身が肉身であるのは、法然自身を示しているかもしれない。法然自身が生身を以てこの課題に取り組み、「善導になる」ことが求められる。専修念仏がそのための手段であることの確信を、法然はこの「夢の告知」で得られたと思われる。

圧倒的なヴィジョンは、強烈な無意識のイメージであるが、呑み込まれてしまうと精神病に陥るリスクを伴う。神秘体験と精神病エピソードが重なるところであるが、これこそがスピリチュアル・エマージェンシーたる由縁である（鈴木 2022）。湧き立つ紫雲や半身金色の善導との出会いは、圧倒的なヴィジョンで、回心のきっかけとなり自身の確信（善導に依る・専修念仏が正しい）をもたらすものであるが、スピリチュアル・エマージェンシーをくぐり抜けて得られたものだろう。この点は、のちに議論してゆきたい。

また、背景として、湯浅ら（1983）によると、ユングも言及する「観無量寿経」は平安仏教で重視され、日本の浄土信仰の発展に大きい影響を与えた。恵心僧都源信の『往生要集』はこの経典の影響をつよく受けている。また法然は、唐の善導の「観無量寿経疏」を読んで回心し、彼の信仰を確立した（訳注、247–248, ユング　東洋的瞑想の心理学）。目幸（1985）によると、善導は「二河白道」を説いている（「観無量寿経疏」、大正新脩大蔵経、第37巻、272下—273上）。

（2）1196年明恵24歳の夢「文殊の顕現」

1173（承安三）年生まれの明恵は、親鸞と同年生まれであり、法然とは40歳差である。武士の血をひき、幼い頃に両親を失っている。厳しい求道生活、苦難の連続のなかで、「命を賭けた」態度で仏教に対してゆこうとしたのは、法然と同様である。

1185年明恵13歳時の捨身のエピソード（一晩、野犬・狼が現れる墓場に身を横たえた）は、「九相詩絵」のような性欲の克服として「死をみつめる」こと以上の（を越えて）、「切断」を含めた「死」を体験する「命を賭けた」真摯なものであった。

「切断」は武士の刀を連想させる、強烈な男性性・父性性の遂行である。

1196（建久七）年明恵24歳の夢は、自ら剃刀を取りて右の耳を切った、その後日にみられたものである。「切断」の延長であり、〝自己去勢であり、狂気の沙汰〟（河合 1987）である。

一、同廿五日、釈迦大師の御前に於て無想観を修す。空中に文殊大聖現形す。金色にして、獅子王に座す。其の長、一肘量許り也。

（明恵上人夢記『明恵上人集』49）

母性性のみならず父性性をも合わせもつ人格となることが必要であり、そのような強さを獲得するために、荒行が必要だった。その完結のためには、今まで一体であった母なるものに対して捧げるべきいけにえが必要であったし、父性的な強さを立証するための試練に耐えることも必要であった（河合、前掲書）。

耳の切断は、〝たましいの判断〟である。〝彼のたましいの声としての（この）夢に、その判断を依存している。自己去勢が、母なるものに捧げる犠牲（生け贄）としての意味をもつ〟（河合、前掲書）。女性性（母性性）とつながりながら、男性性（父性性）・精神性を確立する儀式の意味（成人となるイニシエーション・死と再生の体験）をもっている。

画家ゴッホも、ゴーギャンとのトラブルから、精神病状態で「耳を切断」（イン・デア・ベーク 1992, ヤスパース 1959/1974）しているが、明恵も一歩間違えば精神病状態に呑み込まれてしまう、ギリギリの極限状態に追い込まれていたと言えよう。精神的窮境状態たる由縁である。そこをくぐり抜けたからこそ、「文殊の顕現」というヴィジョンが得られたのであろう。

「文殊の顕現」は明恵にとって、人生の転機における決定的な「啓示」となり、その後の明恵の人生・精神性を支えていくことになる。「コノゴロロキ、候ハ、ソノユエニテアル也」（『却廃忘記』）（皆に説教などできるのも、あの文殊の顕現を見たおかげだ）と述べている（河合、前掲書）ごとくである。その意味で、「文殊」は明恵の「守り神」（河合）になったかもしれない。「文殊」は智慧の神様であるが、善財童子がいわば求道の旅に出かけるさいに、最初に出会うのが「文殊菩薩」である。

ユング心理学では、童子はこびと（ホムンクルス）で、新しい可能性を象徴する「自己Self」である。明恵は、このイニシエーションにおいて、智慧を「守り神」として（智慧に見守られ、智慧に導かれて）、新しい求道の旅を始めようとしている。新しい可能性としてのホムンクルスを自分のものとしているのである。自己実現（「自己」Selfになる）のための個性化のプロセスを歩み始めた、と換言できよう。

（3）1203（1200）年親鸞29歳の夢「六角堂の夢告の夢」

真宗高田派専修寺に、親鸞による『三夢記』というのが伝えられている（河合、前掲書、261–264：古田武彦の引用による）。

①聖徳太子が、善信に告勅。親鸞19歳
②如意輪観音の告命。親鸞28歳
③六角堂の救世大菩薩が善信に告命。親鸞29歳

ここでは③を論ずるために①に言及しておきたい。①は以下のようである（河合、前掲書）。

我が三尊は塵沙の界を化す

日域は大乗の相応の地なり
諦に聴け、諦に聴け、我が教令を
汝が命根は応に十余際なるべし
命終わりて速に清浄土に入らん
善く信ぜよ、善く信ぜよ、真の菩薩を

親鸞（善信）は19歳時に余命が十余年であることを告げられる。次に述べる夢③のような体験が29歳に生じたことを見ると、文字通りその頃に死ぬであろうというより、内的な強烈な変化・死と再生を経験するであろうという意味（河合、前掲書）であった。同年生まれの明恵が「夢記」を書き始めたのが19歳であるのも興味深い（河合、前掲書）。明恵の13歳のときの捨身と比較しても、いずれも青年期に「命を賭けた」態度で仏教に対してゆこうとし（河合）、死と直面してのギリギリの精進・極限状態を通じてこそ、得られた「夢告」であることが分かる。

③の夢は、１２０３年（建仁三年／または建仁元年１２００年）四月五日夜寅時、親鸞29歳時である。

六角堂の救世大菩薩、顔容端政の僧形を示現して、白柄の御袈裟を服着せしめて、広大の白蓮に端座して、善信に告命して言く、

行者宿報にて設ひ女犯すとも

我れ玉女の身と成りて犯せられむ
一生の間、能く荘厳して
臨終に引導して極楽に生ぜしめむ

救世菩薩、この文を誦して言く、此の文は吾が請願なり。一切群生に説き聞かすべしと告命したまへり。其の告命に因って数千万の有情にこれを聞かしむと覚えて夢悟め了ぬ。（河合 259–260）

「末代には、妻持たぬ上人、年を逢うて希にこそ聞こえし。後白河の法皇は、隠すは上人、せぬは仏と仰せられけるとかや。……今の世には、かくす上人猶すくなく、せぬ仏いよいよ希なりけり」（『沙石集』）（河合 258）といわれる当時の状況にあって、生涯不犯を貫いたのは、法然と明恵だけと言われている。青年期の親鸞にとって、性・性欲の問題は大問題であった。精神的にギリギリの極限状態に追い込まれたなかでの、夢の告知であった。女性の問題に（逃げずに・ごまかさずに）正面から直面しようとした、そして、その解決の過程で夢が大きい役割をもった（河合 264）のである。

精神的窮境状態をくぐり抜けて、夢の告知を得たと言えよう。その後の親鸞の人生・生き方を決定づける羅針盤を、この人生の危機（青年期の危機）のおける転機において、獲得したのである。

2　宗教的啓示と心理学的洞察

これまでみてきた「夢の告知」はいずれも「宗教的啓示」である。

ユング心理学からみたら、これらはどのような意味をもつのであろうか。また、これらは「心理学的洞察」とどのように関連するのであろうか。

以下、ユングの論考を参考にしながら、これらのことを検討してゆきたい。

（1）なぜ悟りは啓蒙的なのか

悟りを得るには、長い年月にわたる厳しい修行と瞑想を必要とする。法然、明恵、親鸞いずれもが厳しい修行と求道生活をくぐり抜けている。悟りは、意識を補償する無意識から、「突破」してきたものである。

悟りの過程とは、〝自我という形態に限定されている意識が、自我性をもたない本来的自己へと突破することDurchbruch, break-throughと表現されている〟（ユング 1983, 183）。

〝無意識の諸内容が意識にまで入ってきて最終的な「突破」の状態を引き起こすまでには、極限的な緊張状態に至らなければならず、それには、特別な修行とともに不定の長い期間が必要になるのである〟（前掲書、195）。

極限的な緊張状態とは、後述する加藤清（1989）の指摘する「魔境」の一歩手前であり、「究極的関心が活性化」されたものであるだろう。

無意識は意識と補償的関係にある。「自我性をもたない本来的自己」とは、無意識の諸内容を生かし肉付けしたものであり、〝悟性の合理的なはたらきを消滅させる努力を重ねた結果出された、本性そのものの一つの答え〟（前掲書、197）である。

〝無意識の諸内容は、広い意味において補充するために、言いかえれば心の全体を意識的に方向づけるために必要な一切のものを、意識の表面へもたらすのである。無意識がさし出した、あるいは押しつけられた断片を、意識的な生活の中に有意義に組みこむことができれば、そこから、個人の人格の全体によく対応した心の存在形態が生まれてくる〟（前掲書、196）。

長い年月にわたる厳しい修行と瞑想によって、悟性の合理的なはたらきを消滅させる努力を重ねるとき、極限的な緊張状態に至って、意識を補償した無意識の諸内容が「悟り」として「突破」してくるのである。

また、「悟り」の別の本質的な特徴として、その人の本性そのものからの返答、全体の性向から生まれる反応である、ということである。上述の「心の全体を意識的に方向づけるために必要な」、「人格の全体によく対応した」にあたるであろう。

〝全体の性向から生まれる反応は、区別する意識によって分断されていない本性に従っているので、常に、全体的な特性をもっている。だからこそ、その反応は、圧倒的な影響を及ぼすのである。それは予期することのできない、すべてを包んだ答えなので、まったく十分に人を納得させてくれる。そしてこの答えは、意識が袋小路にはまりこんで、にっちもさっちもゆかなくなっている状態にあるときに現われてくるだけに、なおさら、悟りや啓示としてはたらくのである〟(前掲書、197)。

これが、悟りが啓蒙的に感じられ、啓示として受けとめられる理由であろう。「袋小路にはまりこんで、にっちもさっちもゆかなくなっている」のは、本人の「精神的窮乏・心的窮乏」であり、スピリチュアル・エマージェンシーの状態である。

このような状態にあるからこそ啓蒙的に感じられる点について、次のユングの指摘に留意する必要がある。

〝このような欲求はつねに精神的窮境から生ずるものである以上、形而上学的発言の解明にあたっては、当の形而上学的発言に説得される人間の心的状況も考察されなくてはならない。するとこういうことが明らかになる。霊感を受けた人間の発言はまさしく、世間一般の心的窮境に対して補償的関係にあるイメージや観念にほかならないということである。このようなイメージあるいは観念は霊感を受けた人間が意識的に考え出したり思いついたりしたものではなく、体験として彼にふりかかってきたものであって、彼はいわば進んで、あるいは嫌々ながらその犠牲になったのである。ある意味超越的な意思が彼を捉え、これに対して彼は首尾よく抵抗することができなかったのである。もっともなことながら彼は自分を屈服させたこの優勢な力を「神的」と感じる〟(ユング 2000, 361–363)。

スピリチュアル・エマージェンシーにおける夢の告知は、啓示、「神的」と感じられたであろう。そのメカニズムは、これらのユングの論考を参照することによって、敷衍され明確になり、理解が深まると思われる。

（2）心的水準の低下・魔境

その際（それらがもたらされる際）には、ユング心理学の用語では、〝心的水準の低下 *abaissement du niveau mental*〟が生じているかもしれない。一種の変性意識状態（ASC: altered state of consciousness）によってもたらされた、通常のイメージとは異なる神秘的なメッセージは、無意識の圧倒的な内容に呑み込まれると、幻覚妄想になりえる。「魔境」（加藤 1989）たる由縁である。しかし、この危険性に十分気をつけていれば、これら自体は究極的（究極的現実）ではないが、〝これらが究極的問いとその答えに集中する能力を高めてくれる〟（前掲書、100–101）「究極的関心の活性化」の（となる）意義がある。危険性と意義の両面に留意する必要がある。そこをくぐり抜けることによって、豊かな創造性がひらけてくるだろう。

「心的水準の低下」でもたらされた「魔境」は、ユング心理学では、能動的想像法 active imagination にあたるかもしれない。我々はその危険性に十分留意し、それによって破滅されないよう、つまり、その圧倒的な内容に呑み込まれないようにしなければならない。そのようにして我々は無意識に対して意識的になり、洞察や啓示を得られるようになるのかもしれない。

宗教的啓示と心理学的洞察の関連について、詳しくは鈴木（2011）を参照されたい。

3 スピリチュアル・エマージェンシーの観点から

(1) スピリチュアル・エマージェンシーの概念

スピリチュアル・エマージェンシーとは「霊的エマージェンシー spiritual emergency」とも表記され、「霊的エマージェンス spiritual emergence」とは区別される。後者は、霊的な潜在力が徐々に展開し、心理的‐社会的‐職業的な機能には障害がない、という軽い形態であるが、前者は、霊的な現象が統制されずに出現し、かなりの障害が心理的‐社会的‐職業的な機能にあるという重篤な形態にわたる強度で現れる（ルーコフ他 1999, 239）。いずれも、人生の危機的状況に遭遇して極度に緊張感が高まった状態において、神秘体験としてもたらされる（井上 2012）ことが多い。

一般的に、スピリチュアル・エマージェンスという軽い形態は、精神障害として診断・治療されるべきではなく、健康と機能全体の長期にわたる進歩をもたらしうる宗教的・霊的な問題として診断・治療されるべきである。スピリチュアル・エマージェンシーというより重篤な形態は、それを発達上の危機と見る人もあるが、精神障害と関係したり、既存の（DSM‐IV‐Rまでの）I軸（精神症状）やII軸（人格障害他）の障害を悪化させることもある（ルーコフ他、前掲書）。

神秘体験と精神病エピソードは類似性があり重複する諸側面がある。スピリチュアル・エマージェンシーの概念は、この重複する諸側面に関わってくると思われる。克服・回避したりできるものを越えた危機体験は、心理的・宗教的な成長にとって必須のもの（ルーコフ他の引用、前掲書）であり、単

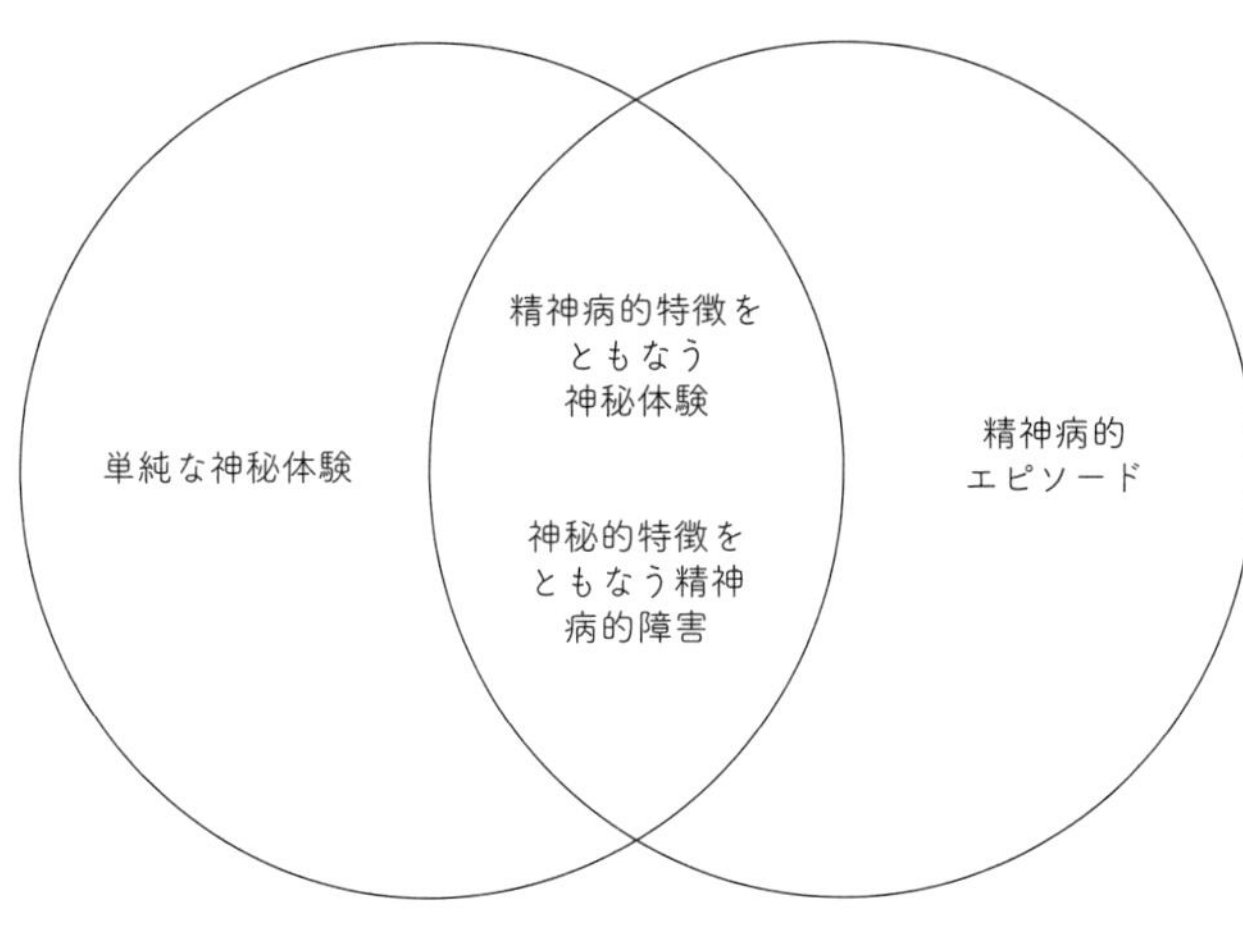

図５－１　神秘体験と精神病的エピソードとの関係
出所）吉福伸逸監修 1996.『トランスパーソナル　ヴィジョン…３意識の臨界点』雲母書房，p. 99.

に薬物療法で抑え込むだけでよしとしない。

デビット・ルーコフ David Lukoff（1996/1999）は「神秘体験と精神病エピソードとの関係」を両者が重なり合うものとして、「精神病的エピソード」、「精神病的特徴をともなう神秘体験」、「神秘的特徴をともなう精神病的障害」、「単純な神秘体験」の分類と概念化を試みている（図５－１）。

これらの概念化を説明した上で、このテーマに取り組むに至ったルーコフ自身の個人的背景を紹介したい。これらの概念化と実践は、精神病を成長の可能性をもつ「変性意識状態ＡＳＣ」（あるいは心的水準の低下 *abaissement du niveau mental* の一種）とみる治療プログラムである。グロフ夫妻（1985）によるスピリチュアル・エマージェンシーの命名以外に、従来の表現ではイニシエーションであり、問題解決の統合失調症（ボイゼン 1962）、肯定的崩壊（ダブロフスキー 1964）、創造の病（エレンベルガー 1970）、メタノイア的航海（レイン

1972)、ヴィジョナリー状態（ペリー 1977）などがこれにあたる（ルーコフ 1996, 101）。これらの検討がスピリチュアル・エマージェンシーの概念を豊かに肉付けし、スピリチュアル・エマージェンシーが今日的な意義をもち再評価に値すると思われる。

（2）神秘体験と精神病エピソードとの関係（ルーコフ 1996/1999）とその個人的背景

ルーコフは、図5-1に示すように、精神病状態と神秘的体験の間には重複する領域が認められ、そのなかには「精神病的特徴をともなう神秘体験（MEPF：Mystical Experiences with Psychotic Features）」と「神秘的特徴をともなう精神病的障害」が含まれるとし、ＭＥＰＦの診断基準を提起している（1985）。

臨床的には精神病状態と神秘体験との重複領域が存在するのはよく知られている。統合失調症とは異なる、その後の経過が良く、その体験を経た後にむしろ成長している人たちがいる。しかし現在の精神医学では、他の精神病的エピソードと区別されていないのが現状である。一方、宗教家が崇高な神秘的体験とするものでも、精神病の一症状として現れていることもありうる。この重複領域の中から精神病とは異なった一群の体験であるＭＥＰＦを抽出することに臨床的意義がある。

ルーコフは、精神病理と真正な霊的体験の鑑別の手助けとなる良好な予後指標を使うことを提案している。①エピソード前の良好な機能、②三ヶ月またはそれ以下の期間での症状の急性な発症、③精神病的エピソードを引き起こしたストレスに満ちた促進因子・人生上の出来事の存在、④体験に対する肯定的な探究態度、四つのうち二つ以上がなければ、ＭＥＰＦではなく、精神病的障害であるとした。

MEPFの正確な鑑別が出来れば、精神病的障害と不必要なレッテル貼りをして薬物療法で抑え込む抑圧的な治療をするのではなく、体験の統合に向けて積極的に援助する治療的なアプローチが求められる。

MEPFの体験の価値は、主として個人の私的「刷新」にある。

ルーコフはなぜ、これらの提唱を行うのであろうか？　それは以下に述べるような、ルーコフの私的「刷新」体験すなわちLSDによる体験に基づいている。

〝精神病後の統合期を例示する事例は、私自身の二十五年前に起きた幻覚剤により誘発された精神病性障害（DSM-IV・292.11）である。LSDを最初に吸入した後の数ヶ月の間、私は、自分が宇宙の秘密を発見し、仏陀とキリストの両方の生まれ変わりであると確信していた。その最も激しい時期は、一週間続いたが、その間私はほとんど眠らず、レイン、マーガレット・ミード、ボブ・ディランや、もはや生きていないルソー、ユング、フロイト、そしてもちろん、仏陀とキリストのような人々といった社会科学と人文学の卓越した思想家たちの「霊」と多くの会話を交わした。私は、これらの議論に基づいた私の四十七ページの『聖なる本』が、新しい社会を計画するプロジェクトにおいて世界の人々を結びつけると思った。私は、皆も開悟できるようにと、自分の本のコピーを、友人と家族に送った。

今では、私の大ヴィジョンは、典型的な「六十年代」の部族的生活への回帰のユートピア的な共同体の提案のように私には読める。しかし私は、私の『聖なる本』を広めることで世界を変えるという使命に没頭して数ヶ月過ごした。他の人たちが私を新しい預言者として受け入れていないことが最終的に明らかになった時、私はケープ・コッドの両親の夏季別荘に一人で住みに行った。それは春の初めで、人は多くなかった。私はもはや精神病状態にはなかったが、とても憂うつで体が弱ってしまい、心は深く傷ついており、真剣に自殺を考えた。眠れない夜に数回、私が自分自身の骸骨だと思ったもののイメージが自発的に現れた。

これらの困難の絶頂期に、川岸の近くを歩いている時、私は「癒し手（ヒーラー）になりなさい」という声を聞いて驚いた。その時は、自分の最近の誇大的な信念と行動についての自己非難と恥の気持ちに浸っていたので、私は自分自身に将来があるとは考えていなかった。しかし、この声―自分自身の外から出ていると私が聞いた、唯一の肉体から離れた声―が、最終的には、私を臨床心理学という職業に召したのだった。グループ・エンカウンターと治療の訓練をいくらか受けてから、私は精神病院で働き、それから心理学の大学院に応募した。私はまたユング派の分析に四年半通い、それから、カリフォルニアのオジャイのオジャイ研究所で、多くのシャーマンたちとアメリカ先住民の祈禱師たちと研究をし、変容的なトランスパーソナル体験としての精神病エピソードを統合しようとした〟（ルーコフ 1999, 287–289）。

ルーコフは上記の自身の体験を「シャーマンのイニシエーションの危機」であると考えている。Russell Shorto（1999, 16–29）は、ルーコフの体験をより詳しく精神病体験（精神病エピソード）として紹介している。

ルーコフがイニシエーションによる「癒し手 healer」の召命を受けて心理援助職になったのは、東畑のいう「野の医者」（野の医者は笑う 2015）、ユング派の「傷ついた癒し手 Wounded Healer」[※3]とも通じるものであろう。

トランスパーソナル心理学の観点からは、スピリチュアル・エマージェンシーの諸形態には以下のものがあげられる。統一意識のエピソード（至高体験）、クンダリニーの覚醒、臨死体験、「過去生の記憶」の出現、中心の回帰による心理的再生（刷新）、シャーマンの危機、超感覚的知覚の覚醒（サイキック・オープニング）、霊的ガイドとの交信とチャネリング、UFOとの接近遭遇の体験、憑依状態、である。

MEPFであると鑑別診断したうえで、ルーコフは、中心の回帰による心理的再生（刷新）とシャーマンの危機を体験したと思われる。これらは、「再生・変容・癒しへの試み」であり、breakdown ではなく breakthrough である。その結果、ルーコフはトランスパーソナル心理学・精神医学に携わることになる。トランスパーソナル心理学・精神医学は、急性期の精神病の変容を起こしうる可能性を、主流の医学モデルによる方法で行われているように症状を鎮圧するのではなく、症状の表出を許容することによって保持するように試みる。さらに、トランスパーソナル心理学・精神症状は、当人の人生における肯定的な影響として、そのような体験の精神病後の統合を促進する（前掲書、289）。

（3）MEPFとしての夢の告知

さて、我々の議論する法然、明恵、親鸞の夢の告知はMEPFではなかろうか。いずれもスピリチュアル・エマージェンシーの状態で、心理的再生（刷新）とシャーマンの危機（イニシエーション）を体験したと思われる。それは「精神病的特徴をともなう神秘体験」であり、心理的・宗教的な成長にとって必須のものであった。成長の可能性をもつ一種の「変性意識状態」または「心的水準の低下」と見なしうるのである。MEPFは、〝自己Selfの「死と再生」の過程（再秩序づけ、再構成、刷新）の顕現であり、自己治癒過程の一環である〟（Perry 1974）。法然、明恵、親鸞のMEPF体験は、その後の法然、明恵、親鸞の人生・教義の羅針盤となる決定的なものであった。

ユング心理学とトランスパーソナル心理学・精神医学の観点から、すなわちスピリチュアル・エマージェンシーの観点から、夢の告知を再検討すると、上述のようなMEPFという豊かな鉱脈（水脈）に掘りあたるのではなかろうか。

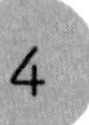

4 縁起・布置・共時性と自我境界

（1）縁起と布置について

河合隼雄が、井筒俊彦の論考（エラノス会議での講演 1967–1982など）を自分なりに咀嚼しながら、上手くまとめている。そのまとめを参考にしながら以下論じてゆきたい。

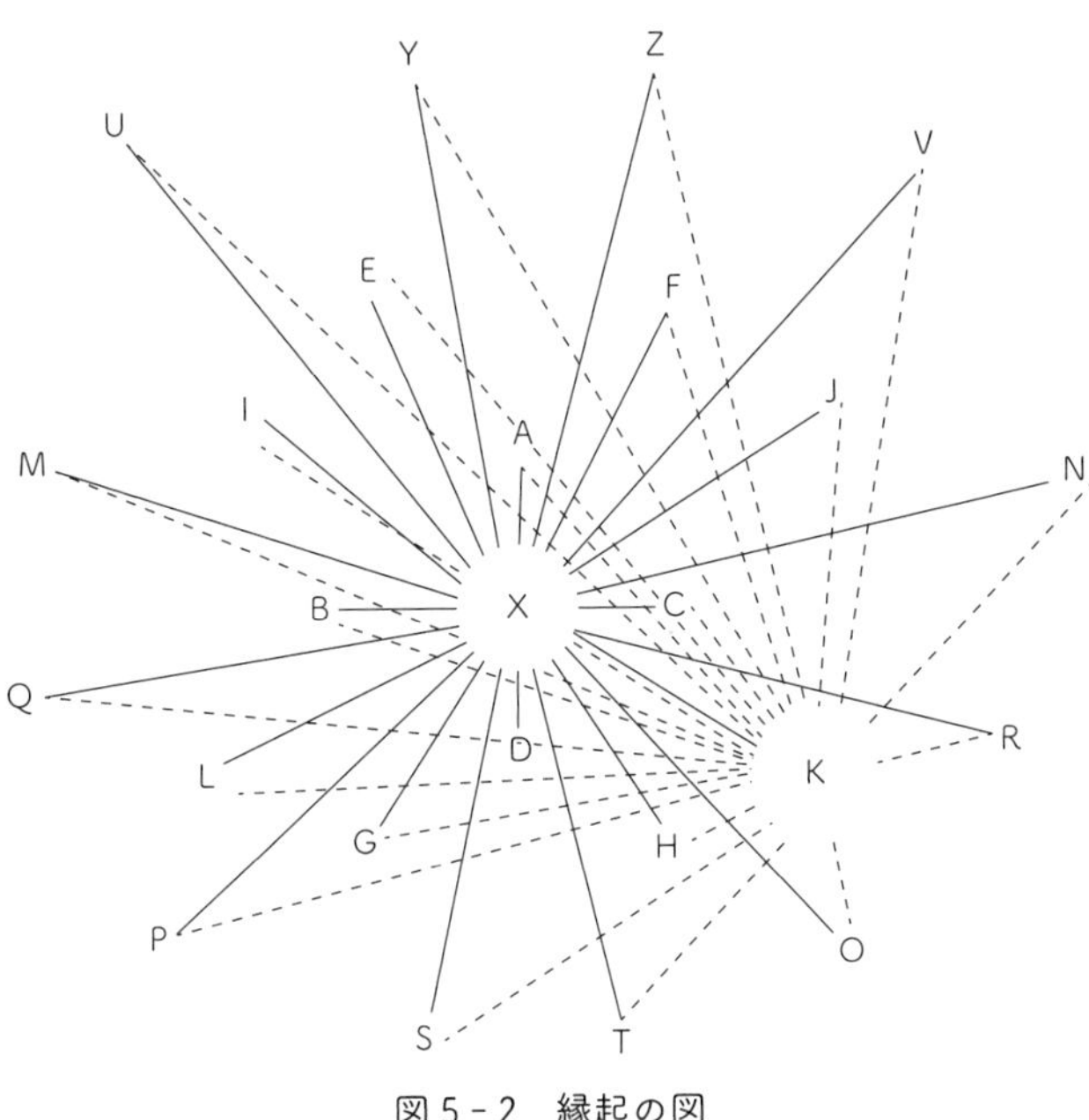

図5－2　縁起の図

出所）井筒俊彦 1989.『コスモスとアンチコスモス』岩波書店，p. 48.

華厳経の「縁起」の概念を用いて「布置」のイメージを拡充したい。井筒俊彦による華厳経のコスモロジーである「縁起の図」（図5－2）を参照すると、「布置」のイメージの理解が深まる。

河合隼雄（1995, 143–147）は、この図を「存在論的関係性」として以下のようにまとめている。

〝A、B、C、D……の個々のものは自性はなくとも関係はあります。Aというものの存立にはB、C、D……とすべてのものがかかわっています。つまり、それぞれが互いに関係しており、その全体関連性を無視しては何ものも存在し得ない。それを井筒博士は、図に示すように、うまく視覚化して明らかにしています。これは、あくまで一瞬の図で、時間と共に何かが動けば、その関連によって、すべてが変わることになります。

このように考えると、Aというものは自性をもたなくとも、他の一切のものとの相互関連においてAであるわけです。つまり、Aの内的構造に他の一切のものが隠れた形で含まれている。そのような関連性によって、AはAであり、BでもCでもない、ということになります。ある一物の現起は、すなわち、一切万法の現起。ある特定のものが、それだけで個的に現起するということは、絶対にあり得ない。常にすべてのものが、同時に、全体的に現起するのです。事物のこのような存在実相を、華厳哲学は「縁起」といいます〟。(強調、筆者)

井筒(1980/2019, 474–475)はこのことを次のような巧みな表現(鏡灯の比喩:十鏡一灯、法蔵)で説明する。

〝仏や菩薩たちの深層意識に映し出される、全ての事物の相互浸透を可視化するために、法蔵は巧妙な装置を用いました。

燃えている燭台の周りに、彼は十枚の鏡が互いに向き合うように設置して、それら全てを燭台の方へ向けたのです。

八枚の鏡は燭台を取り囲むように、一枚の鏡は燭台の上方に、もう一枚は下の方に置きました。このように配置すると、中心にある火は、自然にそれぞれの十枚の鏡の中に映し出されます。各の鏡に映し出される火は再び、そのほかのそれぞれの鏡の中に映し出され、さらにあらゆる鏡は、映し出される火それ自体も含めて、それが残りの全ての鏡に映し出されるままに、全ての鏡に映し出される全ての火を映し出します。したがって、火の相互映発はいったん始まりますと、どこまでも止むことはありません。このように傍観者の目の前で、限りなく深くかつ広く広がっていく火の多層が現前したのです。

事物の形而上的・存在論的な構造はこのようなものであって、全ての事物は礙げ合うことなく相互浸透している、と法蔵は説明しました。

真ん中に置かれた燃えている燭台の火が、全ての鏡に映し出され、その各々の鏡は中心の火のそれ自身のイマージュを創出する—それが「性起」なのです。それぞれの鏡に映し出される火はそれ自体、独立しており、一つであり、独特なもののように見えますが、その現実の構成においては、多様であり複雑です。なぜなら、その中に、言わば、全ての鏡に映し出される全ての火が含まれているからです。それが「縁起」です。一が全であり、全が一である。全てが全の中にあるのです。単一の原子には、無限の層から成る全世界が含まれています。

これは華厳がリアリティの「因陀羅網」(Indrajāla) 構造と呼ぶものです。それは、互いを映し出すとともに、互いの中に映し出される、数えきれない宝珠から成ると言われる「インドラ神の網」の神話的イマージュに関して説かれるものです〞。

このように、この「縁起の図」は、「因陀羅網」や「インドラ神の網」にも喩えられる。

また、Aというものに自性がないところに、ナーガールジュナの「空(無)」論があるかもしれない。

〃あらゆるものに独立した存在が「空」であるのは、それが縁起だからである〃。(ヴァレラF 1991/2001, 316)

この図においても、X、KあるいはAはそれ自体の輪郭はもたず、まわりからの相互関連によって輪郭を浮き彫りにされている(逆照射されている)のである。

中沢新一(2019, 50)の直観的理解によると、ナーガールジュナの空論(色即是空の空論)と唯識の心構造論(空即是色の唯識論)が、華厳経において統合されている。それによって縁起の直観的把握(中沢、前掲書他)が可能になったといえよう。一瞬における時間的乃至空間的乃至論理的な全体的な把握である。それがこの図に、全ての事物の相互浸透が可視化され、上手く凝縮されて表現されている。

Xに対する他のA、B、C、Dとの位置関係、あるいはKに対する他のA、B、C、Dとの位置関係が「布置」として図示されている。これらは単に物理的な位置関係ではなく、相互関連し相互浸透する心理学的な見取り図である。「縁起」によって、時間的に、空間的に、論理的に「常にすべてのものが、同時に、全体的に現起する」のである。

ユング心理学では、「布置」は、集合的無意識の顕われを上から俯瞰してみた際の位置関係として捉えることが出来る。そして、集合的無意識の顕われが、意味のある偶然として同時的に生ずる現象を「共時性」と呼ぶ。「常にすべてのものが、同時に、全体的に現起し」すべてのものと結びつくのは、まさしく「共時性」であろう。

すなわち、この「縁起の図」(見取り図)は、集合的無意識の位置関係(布置)と現象面での顕われ(共時性)を、上手く凝縮して可視化していると思われる。

（2）自我境界 Ego Boundary

「縁起の図」において、X、KあるいはAはそれ自体の輪郭はもたず、まわりからの相互関連によって輪郭を浮き彫りにされている（逆照射されている）ことは、X、KあるいはAの輪郭としての自我境界 Ego Boundary が、それほど強固ではないことを示している。

文化的特性として、一般に西洋社会では自立、自己主張、自我の確立が強く求められ、強固な自我境界をもっていることが多い。それに対して仏教文化圏の東洋社会、特に日本では、自我境界はそれほど強固ではないのではなかろうか。日本人の特性に親和性のある観点である。

この観点を敷衍すると、上述の心的水準の低下・変性意識状態は、一過的に自我境界 Ego Boundary が弱まる・薄くなることであると換言できる。MEPF体験も然りである。強固な自我境界（日本人の場合、西洋人ほどではないが）が緩んで、まわりからのつながりにより、直観的に全体性 wholeness[※4] を把握するようになる。

精神的窮境状態は、補償的な意味をもち、それを手がかり、手助けにして、人生の意味ある一部分として創造的に活用していく。精神的窮境状態という破壊的なデーモンを真に創造的な何かに変え、新しい人格を構築するよう、この状態を構成的に癒していくことが「全体性の追求」（マイヤー 1989）の意味である。

ここに、たましいの深淵からの声[※5]としての「創造性」が発現するメカニズムがあるのではなかろうか。

このことを井筒（1989, 57–61）は、「主伴」的存在論[※6]として〝仏性〟の観点から説明している。〝仏性〃とは、この深層構造として存在しているところの「無力」な要素、まったく同様の無限数の存在論的構成要素（abcde……）である、と考えられる。誰もが〃仏性〃をもっているとはこの意味である。この普遍性に対して、個人のもっている「有力」関係により、その人の「個性」が特徴づけられる、と考えられる。しかし、同時に、その人と他との関係性は、「縁起」によって、「常にすべてのものが、同時に、全体的に現起し」、すべてのものと結びついている。

井筒の表示（前掲書、59）に従えば、日常的には「有力」関係として、A、B、Cと見えている

A（**a**, b, c, d, e, ……）

B（a, **b**, c, d, e, ……）

C（a, b, **c**, d, e, ……）

ものが、心的水準の低下・変性意識状態、あるいはMEPF体験によって、深層構造として存在しているところの「無力」な要素、まったく同様の無限数の存在論的構成要素（abcde……）が見えるようになることではなかろうか。井筒の述べる「複眼の士」（前掲書、61）の境地である。このことが、「たましいの深淵からの声」を聴きやすくするのであろう。

（3）共時性の実践的意味

縁起の直観的把握は、一瞬における時間的乃至空間的乃至論理的な全体的な把握である。それが「縁起の図」に、全ての事物の相互浸透が可視化され、上手く凝縮されて表現されていることは上述

した。

縁起の直観的把握によって、河合（1995, 209, 211）によれば、因果関係のみではなく、共時的な関係にも注目することになる。それは、人間を全体として理解するための新しい科学となり得、免疫学における〝スーパーシステム〃のように機能するかもしれない。（強調、筆者）

河合（1994, 51–52）によると、共時性に注目する態度をもつことは、次のような実践的価値を有している。

〝家族や人間関係の問題を考えるとき、単純に因果的思考に頼ると、すぐに「原因」を見出し、誰かを悪者にしたてあげることが多い。たとえば、母親が悪の根源のように思われたりする。しかし、全体の現象を元型的布置として見るときは、誰かが「原因」などではなく、すべてのことが相連関しあっている姿がよく把握され、そのような意識的把握と、その全体の布置に治療者が加わってくることによって、事態が変化するものである。つまり、誰が悪いかと考えるよりは、皆がこれからどのようにすればよいかと考えることによって、解決の道が見出されてくるのである。実際、われわれ心理療法家が、困難な問題をかかえている人にお会いすると、本人も家族も、自分を悪者にされぬように、あるいは自分以外の誰かを悪者に仕立てるために一生懸命で、バラバラになって硬直した関係をつくりあげている。またなかには、そのようなことを助長するような発言をする「教育者」とか「治療者」も多くいる。こんなときに、因果的思考から全員が自由になるだけでも、家族関係は変わるし、視野も広くなるし、回復への道が発見しやすくなるのである〟。

このような姿勢は、ユング心理学的なアプローチの真骨頂である。つまり、目的論的な、実現期待的（自己実現的）なあり方であり、因果論的な還元的なあり方とは対照的である。しかし、同時に、心理療法家がその布置のなかに自身の存在を賭ける、真摯にコミットすることが求められる。

心理療法においてのみならず、一般論としても、縁起による布置に、自分自身が真摯にコミットすることが大事である。

法然、明恵、親鸞は、いずれもが夫々の縁起による布置に、いずれもが真摯にコミットしたのではなかろうか。縁起による布置によってスピリチュアル・エマージェンシーの状態がもたらされたが、それらに真摯にコミットした（布置のなかに自身の全存在を賭けた）結果、夫々の夢の告知が得られたと思われる。

おわりに

法然、明恵、親鸞といった鎌倉仏教の創設者たちが、時代の荒波のなかで、既存の教義にあきたらず自身の道を切り拓こうと、極限状態のなかで、その後の自身の人生を決定づける夢の告知を得た。その意味を、ユング心理学とスピリチュアル・エマージェンシーの観点から考察した。夢の告知の生じる要件についての考察が中心で、夢自体の分析や拡充は二の次になった。今後の課題としたい。

しかし、夢の告知のインパクトは、重大なものなので、縁起・布置・共時性を含めた、創造性をめぐるメカニズムへの考察の一助となればと願っている。その意味で、法然、明恵、親鸞の夢の告知に胸を借りたといえよう。仏縁・仏恩に感謝する次第である。

付　記

本章第2節は鈴木康広『宗教と心理学――宗教的啓示と心理学的洞察の対話』創元社、第3節は鈴木康広「スピリチュアル・エマージェンシー再考（1）」『佛教大学臨床心理学研究紀要』27、第4節（1）は鈴木康広「家族の「布置」と縁起――ある男性の箱庭制作を通して――」『日本仏教心理学会誌』14をもとに加筆・修正した。

注

※1　大きな夢 big dream：人生航路を変えさせる衝撃的な夢（ユング心理学事典163）

※2　元型：コンプレックスが個人的無意識に由来するのに対し、元型は集合的無意識のイメージである。

※3　鈴木（2011, 125–130）も参照されたし。

※4　武野（2010）によると、癒し heal とは治療 cure ではなく、全体性を意味する。「癒される」とは「全体性となる」こと、と述べている。

※5　真栄城（2005）は、ケネス田中著『真宗入門』（法藏館、2003）を引用しながら、内観を行う目的を「心を病んだり、不幸な出来事に遭遇したり、人生の荒波に呑み込まれそうになっておぼれかかったとき、魂の深淵からの声を聴くためにするのです」と述べている。

※6　河合（1995, 前掲書）によるまとめ（原典は井筒 1989）を引用する：

ここにA、B、Cという異なったものがあるとします。これは華厳の考えによると、それは一応「違うもの」でありながら、互いに相通じ理の分節的性起の形をとっています。従って、ＡＢＣは、いずれもまったく同様の無限数の存在論的構成要素（abcde ……）から成っていると考えられます。記号論の考え方を用いると、シニフィエの方は（abcde ……）と同じであるのに、シニフィアンはAであったりBであったり、Cであったり、と異なってくることになります。この不可解なことを説明するために、華厳では「有力」「無力」という概念を導入します。有力とは積極的、顕現的、自己主張的、支配的で、無力はその逆に、消極的、隠退的、自己否定的、被支配的であります。無限の要素abc ……のなかのいずれが有力になり、他は無力になることによって、それは、A、B、C、と日常世界では異なるものとして認識される、というのが「主伴」の論であります。この際、有力となる要素はひとつとは限らず、それも全体との関係のなかで時間と共に変化する、と考えます。

このように説明しますと、A、B、Cはそれぞれ異なるものとして認められますが、それは構成要素の「有力」「無力」関係によるものであり、構成要素の方に注目するならばすべてのものは互いに融通無礙であり、「事事無礙」である、と言うことができます。日常生活においては、「有力」な要素のみが前面に出ているので、人間は個々のものの差に注目するわけですが、「無力」な要素がないのではなく、それは深層構造としては、ちゃんと存在しているのです。

参考文献

《邦文献》

井筒俊彦　1980/2019.「存在論的な事象の連鎖――仏教の存在観」『東洋哲学の構造』慶應義塾大学出版会.

――――　1989.『コスモスとアンチコスモス』岩波書店.

井上ウィマラ　2012.「ブリッジ1　解脱への縁起」井上ウィマラ・葛西賢太・加藤博巳編『仏教心理学キーワード事典』春秋社、pp. 9–11.

イン・デア・ベーク、M.　1992. 徳田良仁訳『真実のゴッホ――ある精神科医の考察――』西村書店、pp. 33, 42.

加藤清　1989/1999.「サイケデリック現象と究極的関心の活性化」堀尾猛編『明日への提言――京都禅シンポ論集――』天龍寺国際総合研究所、pp. 93–107.

河合隼雄 1987.『明恵 夢を生きる』京都松柏社.
――― 1994.『宗教と科学 河合隼雄著作集11巻』岩波書店.
――― 1995.『ユング心理学と仏教』岩波書店.
サミュエルズ、A.・ショーター、B.・プラウト、F. 1993. 山中康裕監修『ユング心理学辞典』創元社.
シュピーゲルマン、J. M.・目幸黙僊 1985. 森文彦訳『仏教とユング心理学』春秋社、pp. 228–243.
スコットン、B. W.・チネン、A. B.・バティスタ、J. R. 編 1999. 安藤治・池沢良郎・是恒正達訳『テキスト/トランスパーソナル心理学・精神医学』(ルーコフの論文を所収) 日本評論社、pp. 231–253, 279–291.
鈴木康広 2011.『宗教と心理学――宗教的啓示と心理学的洞察の対話』創元社(自費出版).
――― 2020.「ユング心理学からみた内観」『内観研究』26(1)、日本内観学会、pp. 77–85.
――― 2022.「スピリチュアル・エマージェンシー再考(1)」『佛教大学臨床心理学研究紀要』27、pp. 25–33.
――― 2023.「家族の「布置」と縁起――ある男性の箱庭制作を通して――」『日本仏教心理学会誌』14、pp. 34–58.
武野俊弥 2010.「ユング心理学を診療に生かす」『臨床精神医学』39(1)、アークメディア、pp. 51–58.
中沢新一 2019.『レンマ学』講談社.
――― 2020.「河合隼雄と仏教」『箱庭療法学研究』33(1)、日本箱庭療法学会、pp. 75–89.
名島潤慈 2009.『夢と浄土教――善導・智光・空也・源信・法然・親鸞・一遍の夢分析――』風間書房.
東畑開人 2015.『野の医者は笑う――心の治療とは何か?』誠信書房.
マイヤー、C. A. 1989. 河合隼雄監修、河合俊雄訳『夢の意味 ユング心理学概説(2)』創元社、pp. 116, 118–121.
真栄城輝明 2005.『心理療法としての内観』朱鷺書房、pp. 77–79.
明恵 1981. 校注者:久保田淳・山口明穂『明恵上人集』岩波書店.
ヤスパース、K. 1959/1974. 村上仁 訳『ストリンドベルグとファン・ゴッホ』みすず書房、p. 174.

ユング、C. G. 1983. 湯浅泰雄・黒木幹夫訳『東洋的瞑想の心理学』創元社、pp. 247–248.
——— 2000. 池田紘一訳『結合の神秘Ⅱ』人文書院、pp. 361–363.
吉福伸逸監修 1996. 『トランスパーソナル ヴィジョン…3 意識の臨界点』（ルーコフの論文を所収）雲母書房、pp. 96–130.

《欧文献》

Koenig, H. G. 2018. *Religion and Mental Health*, Academic Press.
Perry, J. W. 1974. *The Far Side of Madness*, Spring Publications.
Shorto, R. 1999. *Saints and Madmen*, Henry Holt and Company.
Varela, F. J., Thompson, E., Rosch, E. 1991. *The Embodied Mind: Cognitive Science and Human Experience*, Cambridge: The MIT Press.（フランシスコ・ヴァレラ＋エヴァン・トンプソン＋エレノア・ロッシュ 2001. 田中靖夫訳『身体化された心』工作舎、p. 163）

第6章

仏教教育と心理学

――教育実践に示唆する仏教的人間観とは？――

同朋大学准教授　岩瀬　真寿美

はじめに

子どもの自殺や不登校、いじめ等といった、子どもや教育をめぐる問題は、もはや対処療法で減らしていくだけでなく、抜本的、根本的に教育について問い直さなければならない時が来ているように考えられる[※1]（厚生労働省 2022, 8）。そこには、子どもを取り巻く大人、とりわけ子どもと一緒に多くの時間を過ごす保護者や教師の人間観が問われてくると考える。本章の第1節では、教育現場へ仏教的人間観が示唆するものとはという問いに答えたい。そこでは、そもそもなぜ、教育実践に人間観が必要であると論じるのかについて明らかにしたい。第2節では、教育実践の中でも、とりわけ子どもたちの悩みと向き合う「教育相談」についてのわが国における一般的な理解を確認したい。具体的には、まず、学校の「教育相談」における教員の姿勢や意識の重要性に対する理解、次に、教員と専門家（スクールカウンセラーやスクールソーシャルワーカー）との連携の重要性といったことである。第3節では、教育実践と仏教的人間学の接点をいくつかの観点から整理する。具体的には仏教心理学や、歴史にみる心理学と仏教の接点についてである。さらに第4節では、仏教的人間観をいくつかのトピックに分けて検討することをとおして、本章の目的である教育実践への仏教的人間観の示唆の一考察としたい。

1 教育実践へ仏教的人間観が示唆するもの

広く教育実践全般から子どもたちの悩みに直接的に向き合う「教育相談」へと焦点を絞り、「教育相談」と教員の人間観をテーマに直接的に論ずる研究を探すと、数はそう多くない。このように数少ない研究の中でも、今から約30年も前になるが、教育心理学者の保坂亨の「教育相談における人間観」では（保坂 1990）、教育相談はその母体といえる心理療法の人間観を引き継いでいることを前提に、具体的には心理療法の人間観として、オーストリアの精神科医S・フロイト（Sigmund Freud, 1856–1939）の精神分析理論、アメリカの心理学者B・F・スキナー（Burrhus Frederic Skinner, 1904–1990）などの行動理論、アメリカの心理学者ロジャーズ（Carl Ransom Rogers, 1902–1987）などの人間性心理学理論を挙げている。そして心理学者の国分康孝の分類に沿って、精神分析理論、行動理論、人間性心理学理論の人間観を順に、性悪説、中立説、性善説と紹介している。[※2] そして心理学者・教育学者の河合隼雄（1928–2007）の考え方に依り、性善説のみが、「治す」理論ではなく「治る」理論につながると述べる。[※3] 特に保坂は教育相談の現場で仕事を続けてきた立場から、教育相談では、性悪説ではなく、特に中立説で「治す」立場と、性善説で「治る」立場の、大きく二つに分けられると述べている。そして教育実践一般に話を広げれば、中立説の「治す」立場は「教える」教育に、性善説の「治る」立場は「育てる」教育に対応すると考える。以上のように保坂の研究は、教職員が依って立つところの教育観の違いに直接的に目を向ける「教育相談」に関する研究として、貴重なものといえよう。

また教育学を専門とする越野由香は、「C・ロジャーズ カウンセリング理論の研究」の中で、ロジャーズのカウンセリングの理論・方法が教育現場に根付いているものの、その心理療法の治療的側面からの議論はさまざまあるが、人間観・哲学からの見当が少ないことを嘆いている（越野 2000, 12）。そもそも教育実践における人間観や教育観の重要性に関しては、教育学者・社会学者である新掘通也（1921–2014）による『教育愛の問題』（福村書店）の中の次のような論述を参照したい（新堀 1954, 2）。「教育科学の基礎に教育哲学がなければ、その教育科学はいわば自律性なき根無し草になるであろう。」このような立場で、新堀は教育の本質を愛と規定し、教育科学に一つの教育哲学的基礎付けを提供している。これは半世紀以上も前の著作であるが、翻って現代日本の教育実践において、教育制度や教育方法の基礎づけとしての教育哲学・教育思想は教育実践に日々携わる教員に自覚的なものとなっているだろうか。一人一人の教員は各々の教育哲学・教育思想を意識的あるいは無意識的にもち、日々それを確固たるものへと再構築していっていることは言うまでもないが、それを補完するという意味合いで、教育実践における人間観に示唆的な仏教哲学をいくつか整理しようと試みたのが本章である。なお、教育をめぐる問題を仏教的視点から論じるにあたり、「仏教がその本質、その思想の内的構造そのものにおいて、極めて深く教育的なもの、教育の本質にかかわるものを持っている」という太田と大竹による指摘や（太田ほか 1971, 283）、「仏教はその本質において教育体系である、と考えられ、仏という言葉そのものが、すでに教育体系を表現しているのではないか」という藤田の指摘は（藤田 1971, 309）、重要な視点であるだろう。つまり、仏教はそれ自体教育的であり、教育体系であるという、このような観点から捉えれば、教育実践における仏教的人間観の示唆を論ずることは、いくら日本国憲法の政教分離原則があるとはいえ、必ずしも的外れなことではないといえる。

2　現代日本の「教育相談」についての一般理解

学校における「教育相談」は、「学習指導要領解説」「特別活動編」の中に、「教育相談は、一人一人の生徒の教育上の問題について、本人又はその親などに、その望ましい在り方を助言することである。その方法としては、一対一の相談活動に限定することなく、すべての教師が生徒に接するあらゆる機会をとらえ、あらゆる教育活動の実践の中に生かし、教育相談的な配慮をすることが大切である」と述べられている。[※4] そこでの教師の姿勢や意識として、たとえば、足利市立教育研究所によれば、①精神的に安定していること。②受容的な態度で接すること、の二点が挙げられている。[※5] もちろん、技術的なこと、例えば、同研究所による「①日常の信頼関係づくりに努める。信頼関係があって初めて教育相談が成り立つ。②話しかけるタイミングに心を配る。③その場で結論を出そう、納得させよう、約束させよう、としない「先生は私のことを心配しているのだ。」と伝わるだけでも十分。④普段から児童生徒に気軽に声かけをするように心がける。⑤投げかけた後のフォローも行う。」は直ちに実践に移すことができる大切な技法であることは言うまでもない。しかし、先に述べた教師の姿勢や意識、具体的には①精神的な安定、②受容的な態度、さらに言えば教師の人間観や人生観は、以上の技法に大いに影響を及ぼすという意味で、さらに重要なものであろう。

さて、２０２０年５月には、児童生徒の心のケアや環境の改善に向けたスクールカウンセラー（以下、ＳＣ）及びスクールソーシャルワーカー（以下、ＳＳＷ）による支援の促進等について、文部科学省より各教育委員会へ改めて依頼がなされている。[※6] このように、近年になって大きな期待が寄せられるＳＣとＳＳＷがどのような存在なのか、改めて確認したい。まずＳＣについて基本的な理解を確かめておきたい。[※7] 不登校児童生徒、いじめや暴力行為などの児童生徒の問題行動等への対応に当たっては、児童生徒の心に働き掛けるカウンセリング等の教育相談機能を充実させることが必要であるとの共通認識のもと、評価者として日常接する教職員とは異なることで、教職員や保護者には知られたくない悩みや不安を安心して相談できる存在であること、教職員にとっては、児童生徒やその保護者と教職員との間で第三者としての架け橋的な仲介者の役割を果たしてくれる存在であることが高く評価されているというのがＳＣである。以上のようなＳＣへの期待のもと、教職員とＳＣとの連携やＳＣの在校状況、環境整備などについては、各学校でその具体的方法は異なるにせよ、相互の緊密な連携が求められていることには変わりない。

次にＳＳＷについて基本的な役割を確認すると、[※8] 不登校、いじめなどの児童生徒の問題行動等の背景には、児童生徒の心の問題とともに、家庭、友人関係、学校、地域など児童生徒の置かれている環境の問題もあり、児童生徒の心と環境の問題が複雑に絡み合っているところに諸課題が存しているといえる。そのため、児童生徒の心に働き掛けるカウンセラーのほかに、児童生徒の置かれている環境に働き掛けて子どもの状態を改善するため、学校と関係機関をつなぐソーシャルワークを充実させることが必要であるとの認識のもと、そのニーズが急速に高まったのがＳＳＷであるというのが基本的な認識である。以上のように、ＳＣ、ＳＳＷには大きな期待がかけられているが、教育相談体制づくりには、そこに教員をはじめとした学校関係者がチームとして連携していくことが欠かせない。もちろん、教員には基本的なカウンセリング手法の習得が求められており、先に述べたとおり①精神的な安定、②受容的な態度が基本となる。とりわけ、児童生徒の課題を少しでも早く発見し、課題が複雑化、深刻化する前に指導、対応できるように、学級担任及びホームルーム担任には児童生徒を観察する力が必要であり、個々の教師の観察眼や対応力それ自体が児童生徒の悩みの解決にとって大きい影響をもつことは言うまでもない。

3　教育実践と仏教的人間観の接点

前節では、現代の「教育相談」に対するわが国での一般的理解を確認してきたが、本章の主な目的は、教育実践のベースとなる教員の人間観に、仏教哲学が果たす役割や示唆は何かを考えることであった。これが教育に宗教を持ち込むという意味で政教分離に反しているかといえば、そうではない。すなわち、何かの信仰がなければならないという意味合いや立場にあるのではなく、仏教的人間観をとおして人間や人生を捉えるときに、悩みが悩みでなくなる、すなわち本当の意味で悩みが解消するという立場の可能性を提示してみたい。この立場は、「東洋の人間学」として唯識仏教を捉える仏教学者の太田久紀（1928–2007）の立場に近いといってもよいだろう（太田 1983, 7）。太田は次のように述べている。「ふつう〈宗教〉というと、何か人間の知性や常識や合理性などの領域を超えた特別な神秘現象と思われることが多い」（前掲書、11）ようであるが、「人間のこころを凝視し、人間のこころを掘り下げ、人間のこころの中に新しい人生を探索しそれを見出したのが仏陀の教え」である（前掲書、10）。そのような立場から見れば、仏教は宗教に分類されると同時に、心理学という学問分野に近いと言っても過言ではないだろう。

ここまで見てくると、教育相談の理論的ベースは、現代日本では一般的な西洋心理学が主であるといえるが、この心理学さえも仏教と親和性があると考えられる。また、それを裏付けるように「心理学」と「仏教」の重なりについて論じる多くの研究を見つけることができる。たとえば「心理学」の中の、カウンセリング、精神分析、心理構造、電話相談、交流分析、ユング心理学、トランスパーソナル心理学、フロイト理論、精神療法、脳科学、認知論、人間性、スピリチュアルケア、アドラー心理学、発達心理などが「仏教」との関連テーマとして研究されている。また一方、「仏教」の中の、唯識、禅、釈尊、真言宗、天台宗、浄土真宗、曹洞宗、時宗、日蓮宗、臨済宗、チベット仏教などと仏教全般の各宗派が「心理学」との関連で研究されている。たとえば、その中で、心理的カウンセリングと宗教的カウンセリングの関係性について論じる浄土真宗僧侶で医師の友久久雄によれば、心理的カウンセリングを繰り返し受けていくうちに、人は、「人間としてどうしても避けて通ることのできない真の悩みが自分の中に存在すること」に気づくようになる（友久 2010, 13）。そして、「人間として生まれ、今生かされていることの有難さに目覚め、それがそのまま救いとなる」という目覚めが宗教的カウンセリングにおいて起こる（前掲書、15）。このようにして、心理学的視点が仏教的視点につながるという指摘は、心理学と仏教の接点を語る上で直接的でかつ重要なものであろう。一方で、世間ではこれまで、心理学は西洋的な潮流によるものが主流であり、「教育相談」に関しても同様であった。しかしここでは対処療法となり、一つの悩みが解決しても次にまた別の悩みが現れるという繰り返し（ループ）となることがある。友久が指摘するように、心理的カウンセリングでは実存的、あるいは根本的な悩みの解決に至らないとするならば、西洋的な心理学の潮流に対して仏教思想が補完できる視点、すなわち根源的な悩みの解消について具体的に示すことはできないか、というのが本章の趣旨でもある。

そもそも明治期の頃、すでに心理学と仏教の関係性に着目していた二人の歴史上の人物として、社会学者の蒼海寿広が、井上円了（1858–1919）と元良勇次郎（1858–1912）というわが国の代表的な仏教者であり心理学者の二人の功績を挙げている（蒼海 2020）。井上は、『仏教心理学』（1897）で、独自の観点から仏教と心理学を結び付けたとして知られる。現在の東洋大学は彼が創設した哲学館が元である。妖怪研究を批判的におこなった人物としても知られている。元良は、心理学の観点から宗教の起源を説明した人物である。彼は日本最初の心理学者として知られ、「宗教が生まれる原因は人間の感情であり、とりわけ悲しみの感情から宗教は生まれた。神は、人間の悲しみを慰めるために創造されたのであり、地獄や極楽などの来世への信仰も、この悲しみの感情から起こったものに違いない」と心理学的観点から宗教の起源を説明していた（前掲書、49）。以上、二人の例からも、心理学と仏教のコラボレーションは現代になって初めて始まったことではないことが分かる。また、そもそもスイスの精神科医・心理学者のC・G・ユング（Carl Gustav Jung, 1875–1961）の「集合的無意識（普遍的無意識）」（Collective unconscious）の語が、仏教学者の鈴木大拙（1870–1966）の影響を受けて創称されたことにも着目しておきたい。ユングの説は、唯識思想の第八阿頼耶識の概念を受けて、それを科学的検証のもとに唱えだしたものであるという（李 2010, 102）。このように、仏教の心理構造論と、意識・無意識を提唱する心理学とは心の構造に関する基本的な捉え方が近似するといえる。

4 仏教的人間観による教育実践への示唆

第4節では、①「無心」と「無我」、②「無明」・「業」・「安心」、③「自己存在の自覚」と「真実の自己」、④「発達段階」の人間観と「煩悩性即仏性」の人間観という各トピックについて検討することを通して、仏教的人間観による教育実践への示唆について素描してみたい。

（1）仏教哲学が示す人間観

①「無心」と「無我」

仏教的な「無心」については教育相談やカウンセリングにおける教師やセラピストの在り方という観点で、仏教的な「無我」については西洋と東洋での人間理解の対比という観点から主に検討したい。まず「無心」について、先に挙げたロジャーズのクライエント中心療法との関連性を見たい。傾聴、共感、受容といった用語は、カウンセリングなど相談業務において欠かせない概念であるが、この点について、心理士で僧侶の坂井祐円は、トポスというギリシャ語由来の「場所」（トポス）概念との関連性を示している。トポスとはすなわち「クライエントを尊重し、その語りに優先的に耳を傾けているときには、「私」がかき消え、無心になっている。」（坂井 2022, 17）といった状態のことである。ここでいうセラピストの「私」のかき消えとセラピストの「無心」とがどのような意味で「場所」につながるかというと、主体としての「私」と「あなた」がぶつかったり、お互いに何を考えているのかを探り合ったりするのではなく、そこに在るのは「場所」それだけであるという意味においてである。続けて、「このような超越的なトポスの知によってカウンセリングが成立すると考えるのが、仏教カウンセリング」であるという（前掲書、18）。以上のことを哲学的に述べる上田閑照（1926–2019）のことばを次に引用したい。

「「我は、我ならずして、我なり」となる。これは「我は我なり」という一直線の連続的自己同一ではなく、「我なし」によって非連続的に切断され、そして「我なし」が確保されたうえでの「我」である。「我ならずして」は「我」における「無から」の現場であり、「我において」関係の集まるところである。「我ならずして」において真に「我ならざる」他者を他者としてうけいれ、また、自ら自然に触れうるのである。」（上田 2007, 147）

以上の上田のことばから想起するのは「十牛図」である。「無から」の現場とは第八「人牛俱忘」に相当する。そして「自ら自然に触れうる」のは第九「返本還源」、第十「入鄽垂手」において「真に「我ならざる」他者を他者としてうけいれ」るというわけである。上田は以上のようなかたちで、「自己の現象学―禅の十牛図を手引として」などにおいて[※9]、従来の禅的解釈を踏まえつつも「自己の現象学」という観点から「十牛図」を自由に独創的に解釈している。

以上、「無心」の在り方は、臨床心理の実践においても、哲学的な人間理解においても説明されてきた。次に二点目の「自我」の対局に位置づけられやすい仏教的「無我」についてである。心理学者の越川房子は、西洋の自己・自我と、東洋の無我を端的に比較し、前者は「自己を理解するにあたって、複数の自己の側面を統合する主体を立てた」のであり、後者は、「統合する主体を放棄したの」だと述べる（越川 2012, 210）。そして後者は、「さまざまな苦悩の生成因である自己を実体無きものとして捉え、そこから離れることを求めてきた」歴史をたどり、その心理学構造には「無常観の獲得」「他人との比較からの解放」「今ここでの受容」「自己理解」といった要素があると述べる。このように見てくると、仏教的「無心」は教育相談やカウンセリングの実践や哲学的人間観において見られるものといえるし、一方の「無我」は西洋的「自我」という統合主体の比較の観点から、それを実体無きものと捉える概念といえる。

②「無明」・「業」・「安心」

このテーマについては、仏教者、鈴木大拙の考え方に学びたい。大拙によれば、「無明は認識論的な言葉であり、業は道徳的な意味をもつ」（鈴木 1969, 7）。無明はあらゆる二元的な捉え方に存在する。二元論といえば、たとえば、すぐに善と悪の二元論が思い浮かぶが、大拙によればその他にも「一と多」「生と死」「私と汝」「有と無」などを挙げる（前掲書、13）。道徳的な、生き方の次元では、「私と

表6-1　大拙が捉える仏教哲学における平等と差別

	平等	差別（しゃべつ）
存在	同一、同様、一様 （多元的存在を裏付けているもの） （ここから個体が出て、ここへ沈んでいく場）	個体、特殊、多様
ものの見方	無分別（根本智、般若の智慧）	分別

出所）『鈴木大拙全集第15巻』岩波書店、1969を参照し筆者作成。

汝」というように自己と他者を二分する捉え方から悩みが生まれると捉えられるが、大拙によれば、矛盾を含む第三句こそ仏教的「空」であり、二元的、あるいは多元的な世界に住みながら、空観に目覚めることが「差別中に平等を見、平等中に差別を見る」こと、すなわち「差別の中に平等あり、平等の中に差別あり」ということになる（前掲書、13–18）。このことを表にするとどうなるだろうか。**表6-1**として、大拙が捉える仏教哲学における平等と差別を示す。

差別だけを見ていては分別だけでものごとを見ることになるため、そこには無明が潜むということになる。個々の違いの背後の世界を見通すことが重要というわけである。そして、この見方というものは、知的な面だけでなく道徳的な面にも及ぶ。ものの見方が無明であれば、それはすなわち業になるということである。なお、分別において差別を見、無分別において平等を見るということは、大拙の著作の各所で指摘される。※10

世間を見れば、争いが絶えず、安心とはいえない状況であり、それは無明による業といえるが、しかし大拙はこう述べる。「衝突して互いに蹴倒しあっている、そのことが人生だ。それは煩悩と言えば煩悩、業と言えば業であるが、その業なり煩悩なりが我々のこうしている存在そのものだ。このように見通しをつけておくと、大いに安心という訳ではないかもしれないが、何だか落ち着くようなところがあるように思われる」（前掲書、35–36）。この「見通し」が「安心」につながるというところが鍵のようである。そもそも仏教の人生観、世界観は四苦八苦であると知られる。すなわち、人生、世界はもともと四苦八苦であると捉えられるのである。[※11] 大拙がいうように、衝突や苦しみがあることそのものが人生だと見通しをつけるところに立ってこそ、そこで、ではどう生きたらよいか、と考えるところに、仏教哲学の意義があるといえるだろう。時代も場所も違うが、スリランカ上座仏教の長老アルボムッレ・スマナサーラは、生きることは大変だという事実を現代日本で教育していないことについて嘆いている。このような日本の教育状況の中で、子どもたちは、生きることとは楽だと勘違いすると恐れている（スマナサーラ 2007, 72）。人生は楽だと、一生幻想のように思えていればよいが、実際に目を開けばすべて厳しい現実があり、このことを教えていないことに問題があると見ている（前掲書、73）。具体的に、それを比喩として表しており、森に熊がいると知っていれば森に入っても気を付けるが、森に熊がいることを知らずに森に入るととても危ないと説明している（前掲書、92）。なるほど、四苦八苦の世の中において、人生は楽だという幻想を抱くことによって、苦しみが増してしまうという指摘は、考えるに値するであろう。無明と業は表裏一体であるということ、そして、そのこと自体が人生であると見通しをつけておくこと、すなわち、生きることは楽ではないと見通しをつけるところから始まる仏教的人生観は、四苦八苦の世の中を生きる我々を励ます一思想といえる。

道徳科の学習指導要領において、人間観が表現されているものとして、次の文言がある。「人間には自らの弱さや醜さを克服する強さや気高く生きようとする心があることを理解し、人間として生きることに喜びを見いだすこと。[※12]」ここでの「自らの弱さや醜さ」が分別で見るところの各々の個別な業であるとするならば、その奥に秘める「弱さや醜さを克服する強さや気高く生きようとする心」として、誰もが平等にもつところの可能性が想定される。この内容を示す一つの教材として有名なものに「二人の弟子」（西野真由美・作）がある。この教材は「内なる良心の声を聞いて弱さや醜さを克服しようとする二人の弟子の姿を通じて、自分自身の内にある誇りある生き方や、人間として生きることに喜びを見いだそうとする態度を育てる」ことをねらいとした授業ができる教材である。[※13]自身の中にある弱さや醜さ、そしてそれを乗り越えて気高く生きようとする心があるという、このような心の見方、心の構造論は、次のトピックとしての「真実の自己」の探究につながるだろう。

③「自己存在の自覚」と「真実の自己」

教育現場においては、子どもたち一人一人が「自分の生きる意味を問う」ということが課題となる場面にしばしば遭遇する。[※14]自己肯定感や自己有用観に関しては、「自己の生きる意味を問う」ということに関連していると考えられる。では、この「自己存在の自覚」とは具体的にはどのようなことなのであろうか。大拙によれば「存在の「何故」を自覚するということは、自分の生きている世界に、一種の秩序をつけるということ、一種の価値を見出すということ、一種の趣味を感ずるということ、一種の意義を会得するということである」（鈴木 1969, 129–130）。学校教育では、道徳教育において道徳性を養うことが目指されるが、[※15]自己存在の拠り所を得ることを専ら目的とするカリキュラムは組まれていない。教育相談においても、自尊感情の低さということが話題に上がり、[※16]学校教育の中では、クラスメイトでお互いの良いところを褒めるといった活動がしばしば実施される。しかしながら、大拙のいう「存在の「何故」を自覚する」という意味は、他者に自己の良さを認めてもらうこととは次元を異にするようである。近頃、SNSでは、「いいね」を通した態度表明など、他者からの評価が気にされるが、そのように他者から認められるという次元とは別の次元で「存在の自覚」が起こるとはどのようなことか。

前節で述べた煩悩は、この「存在の自覚」をとおして楽しみとなるという。大拙はこのように述べる。すなわち「生には確かに悩みが伴う。しかし、一たび生を得ればその悩みは直ちに楽しみとなる」(前掲書、132)。現代日本では、個性そのものを大事にせよというが、大拙はそうではなく「個性の存在の理由に徹せよ」と述べる。それは「まだ個性なるものが現れ出ぬ以前、あるいは個性なるものが存在するいわれの理由そのところを見よ」とも言い換えられる(前掲書、133)。個性とは分別の次元、すなわち「差別」である。一方、個性の存在の理由は、無分別の次元、すなわち「平等」である。大拙は、分別すなわち個性だけに囚われていてはならないということを述べている。そうではなく、その奥あるいは背後にある平等に目を向けよというのが大拙の述べたいところであろう。

次に、教育を定義するのに「真実の自己」という言葉を使う仏教と教育を論じる竹内明の論述を引用したい。教育とは「人間の有する現実性・日常性・自然性を制御し、治整して、埋もれる真実の自己を自覚せしめるものに他ならない」(竹内 1985, 116)。ここでいうところの真実の自己について、竹内は、「本来的な自己」とも、「人間の真実存」とも言い換え、さらにそれは「仏性」とも述べられる(前掲書、116–119)。現代日本の教育実践において、真実の自己の探究の課題は教育者にとって課題として意識的に捉えられているだろうかというと、必ずしもそうとはいえないだろう。真実の自己とは竹内の喩えによれば「家郷に住む親」であり、「家郷を迷い出でた放浪息子たる人間は、自らを否定することによって、家郷の親のもとに帰りゆく」（前掲書、119）。ここでの自らの「否定」とは、煩悩の否定を意味する（前掲書、121）。この比喩は「法華経」の「長者窮子の譬喩」を想起する。

「長者窮子の譬喩」は次のような話である。富豪の息子である青年が、自分の出自を忘れて各地を放浪し、日々の生活も苦しく職を求めている。青年はある時、実の父の家の付近をうろうろとし、そこで働くことになるのだが、それが実の父であることに全く気づかない。青年は凡夫すなわち苦しむ衆生を表し、実の父がすなわち「家郷に住む親」である。この放浪青年は結局、易しい仕事から始め、遂には一人前となり、父から実の息子であると認められ、多大な財産を相続することのなるのだが、放浪息子が一人前になるこの話は、「本来的な自己」を見つける我々の在り方に相応している。ここに、先にテーマとした「平等」の意味がさらに明らかとなる。竹内によれば「人間は仏性たるものであるが故に、本来仏であり、仏となりうるという、絶対平等の成仏可能性を有している」（前掲書、120）。それはまた、「衆生は、絶対的次元からいえば仏性であり、相対的次元からいえば煩悩性なのである」ということでもある（前掲書、121）。この仏性の真実存とは仏であり、それは「現実的世界の根底たる無底の世界にあって、なおかつ、現実的世界に働き掛ける、絶対利他的な無我的主体」である（前掲書、125）。ここにおいて、先の**表6-1**に新たに「人間の在り方」を付け加えてみたい（**表6-2**）。人間の差別的側面、分別的側面、煩悩性だけを見るのは一面的な人間観であり、個性尊重ということがこの観点のみからいわれるとき、他者から認められるかどうかのみが大きな関心事となってし

表6-2　人間の両面性と仏性性への着目

	平等	差別
存在	同一、同様、一様 （多元的存在を裏付けているもの） （ここから個体が出て、ここへ沈んでいく場）	個体、特殊、多様
ものの見方	無分別（根本智、般若の智慧）	分別
人間の在り方	仏性性（絶対的次元）	煩悩性（相対的次元）

出所）表6-1の出所に加え竹内明『仏教と教育』を参照し筆者作成。

まう。その場合、他者から認められれば良いが、認められなければ自身の存在意義が不確かなものと見えてしまう。そこに悩み、苦しみが生まれるわけである。一方で、平等的側面、無分別的側面、仏性性をも同時に見通す人間観は、その「本来的な自己」を問題としており、「自分の生きる意味を問う」ということがこの地平から考えられるとき、それは、他者に認められようとも認められなくとも、自身の生きる意味をしっかりと把捉することができるというわけである。言い換えれば、人間には差別的側面だけでなく、平等的側面、すなわち仏性性があること、その内実として、具体的には仏の在り方、すなわち絶対利他的な無我的主体の生き方があることを、主に大拙と竹内の論述に依りながら明らかにすることができるのである。

利他については、近年、仏教哲学からだけでなく、様々な面から研究が進んでいる。たとえば、美学者の伊藤亜紗ほか著『「利他」とは何か』では、政治学者や哲学者など、必ずしも仏教哲学を専門としない著者たちの名が連なり、利他をテーマに論じてられている。そこでは、全体にわたり、本当の利他について、それは意図的ではないものであり、受け取る側あってのものであること、そのような意味で器のようなものであるということが通奏低音となっているように読み取れる（伊藤ほか 2021）。また、「忘己利他」という言葉が己を忘れ他を利するという意味で知られているが、これは日本仏教の母山である比叡山の開祖、最澄（766（767）–822）の心であるとも述べられる（長尾 2001, 11）。また、仏性性に関しては教育人間学を初めて提唱した教育学者の下程勇吉（1904–1998）が『宗教的自覚と人間形成』の中で、親をはじめ大人の子どもに対する姿勢として重要なことであると述べている。すなわち、「われわれは、青少年・生徒・児童の一人一人を神性・仏性を宿すかけがえない、代理不可能の人格的主体としてまともに受容しなくてはならぬ」（下程 1976, 458）。しかし、現実は、子どもを文字通りに子どもとしてかるくあしらったり、厄介な荷物として邪魔物あつかいしたりする。そうすると、子どもは「真実の人間性（神性・仏性）のめばえがつみとられ、さらにはそれをゆがめられ」てしまうため、宗教教育の第一歩は、親を含め大人が「神性・仏性を宿す人格としてまともに子どもをうけとめる正受の態度」をもつことであると述べている（前掲書、459）。以上のように見てくると、子どもが自身の「真実の自己」を見つけると同時に、教師をはじめ大人が子どもの「真実の自己」を捉え、また、それを見つける手伝いをすることが教育的に重要であるということになるといえる。

④ 発達段階に基づく人間理解と「煩悩性即仏性性」の人間観

西洋の心理学や教育思想においては発達段階説がよく知られる。たとえばアメリカの発達心理学者、精神分析家のE・H・エリクソン（1902–1994）は乳幼児期から老年期に至る八つの発達段階で基本的に人間を捉え、人間性心理学の生みの親として知られるアメリカの心理学者アブラハム・マズロー（1908–1970）は基本的に5段階の欲求段階説を提唱し、アメリカの教育学者、社会心理学者のローレンス・コールバーグ（1927–1949）は6段階の道徳的判断に関する発達理論を示した。他方で、時代も国も異なるが、大拙など仏教哲学をもとに人間を捉えた人々は基本的に転迷開悟すなわち「煩悩性即仏性性」の人間観を人間を捉える際の根底に置いている。言うまでもなく、人生における発達段階ごとの課題を捉えるのにはエリクソンの人間観が、欲求の質や変化を理解するのにはマズローの欲求段階説が、道徳的な判断基準の段階を追うのにはコールバーグの道徳性発達理論を参照するのが有効である。しかし、一方で、仏教的「煩悩性即仏性性」の人間観という知は西洋的な発達段階説を補完する形で、教育実践で生かすことができると考える。なお、大拙は、孔子の『論語』に倣い、人間の一生における身の修め方を整理しており（鈴木 1970, 309–313）、その意味では、東洋的な発達段階理論にも共鳴しているといえる。具体的には、十五歳ぐらいになると精神的修養や倫理的訓練に心がけをもっていき、自省心をもち、自らを顧みるようになり、三〇歳までに人間の修養や性格の土壌ができ、人格のかたがつき、主として知的方面についてであるが、精神的な方面が出来上がって一人前になってくる。四〇歳前後になると、持って生まれたままの顔の上に何か加わり、一人前だという顔つきになる。その顔つきは、自分がこしらえるのだという。五〇歳になると、こういうことが自分の使命であるとか自分のやるべきことであるとか大体の見当がつく。六〇歳になると任せる気持ちになってくる。七〇歳になると、孔子によれば「好きなことをやって、それでいて矩を踰えない」というが、大拙は修行は一生かかるものであって、決して七〇歳でわかるものではないと述べている。そして、苦労をすることが人間を鍛錬するのであり、長生きできるならば長生きするように鍛錬もしなければならないと述べている（前掲書、317）。以上の意味での発達段階は、『論語』に即して、禅者大拙が共鳴するものであったということが分かるが、ベースには常に「煩悩性即仏性性」の人間観があったといえよう。

おわりに
――教育実践に仏教哲学的示唆を持ち込むことは、政教分離に反しないか？――

以上、本章では、教育現場へ仏教的人間観が示唆することをテーマに、教育実践において人間観を問うことの必要性、とりわけ「教育相談」についてのわが国における一般的な理解の確認、教育実践と仏教的人間観の接点をいくつかの観点から整理し、仏教的人間観の教育実践への示唆を検討してきた。そこに、教育実践に仏教哲学的示唆を持ち込むことは、政教分離に反しないかという問いが提起されることが推測されるが、そのために、まず教育の原則を定めた法律「教育基本法」を確認しておきたい。そこでは、第十五条に「宗教に関する寛容の態度、宗教に関する一般的な教養及び宗教の社会生活における地位は、教育上尊重されなければならない。2　国及び地方公共団体が設置する学校は、特定の宗教のための宗教教育その他宗教的活動をしてはならない。」とある。本章は、ある特定の宗派宗教を侮べつ、排斥するものではないし、ある特定の宗派宗教の信仰を必要とすることを推奨する立場にあるものではない。また、「広い意味の個々に囚はれないやうな宗教心を養うと云ふことは、是は大いに教育上努めなければならぬことだと思つて居ります」という「昭和22・3・19 貴・教育基本法案特別委員会」での政府委員答弁に示されるように[※17]、宗教に関する寛容の態度を教育上尊重するよう努めるものである。

ジャーナリストで仏教学者の松本昭（1925–2018）はすでに1980年代に、技術的理性一本鎗の教育への警鐘を次のように鳴らしていた（松本 1982, 358）。「頭ばかり良く切れても、ハートのしぼんだ人間は、本当の意味では賢明ではない（知恵者ではない）」。それは、「利益不利益を超えた価値を知らず、従って身を破り、家を分裂させ、国を誤ち、世界に動乱をもたらす人」である。対比的に「まことの賢人・知恵者に育て上げる教育は、まことの賢人・知恵者である親や教師が、子や生徒に知恵をもって接することにおいてのみ」可能であると述べる（前掲書、359）。この教育理念の背後にはキリスト教の教えがあり、彼自身、「ペスタロッチの体系の中心理念は、キリスト教的な愛の理念である（中略）本書でめざしているのも、キリスト教的な愛を中心理念とする教育学の基礎づけであり、愛における愛への教育実践の理論化にほかならない」と述べており、彼のいう「聖書的教育学」は政教分離に反しているかと問えば、そうとはいえない。本章で目指していたことは、このようなキリスト教の愛の理念に基づく教育学のような形のように、仏教的人間観にもとづく教育実践の可能性、中でもその実践主体としての教師がどのように人間理解を深めるかということについて論ずることであった。

付　記

本章は拙稿「「教育相談」における仏教的人間観の意義」（同朋大学大学院人間学研究科紀要『閲蔵』19号、2024年3月）をベースにその一部を書き改めたものである。

注

※1　厚生労働省「令和4年版自殺対策白書」の「1　自殺統計に基づく自殺の状況」8頁より https://www.mhlw.go.jp/content/r4h-1-1-01.pdf（2023年9月7日アクセス）。

※2　国分康孝の分類に沿った主な心理療法とその人間観の対応表（筆者作成）。

主な心理療法	精神分析理論	行動理論	人間性心理学
人間観	性悪説	中立説	性善説

※3　保坂亨による「教育相談」の主な立場（筆者作成）。

主な心理療法	精神分析理論	行動理論	人間性心理学
人間観	性悪説	中立説	性善説
「治す」理論か「治る」理論か	「治す」理論	「治す」理論	「治る」理論

※4　傍線は筆者。とりわけ、ここでは、教育相談的な配慮が、あらゆる機会にあらゆる教育活動実践の中で必要であるという点が重要であろう。

※5　足利市立教育研究所「学校における教育相談ハンドブック」2013年（http://kyouiku.ashis.ed.jp/kenkyujo/soudan_HB.pdf）2023年8月16日アクセス。

※6　文部科学省初等中等教育局児童生徒課「児童生徒の心のケアや環境の改善に向けたスクールカウンセラー及びスクールソーシャルワーカーによる支援の促進等について」(https://www.mext.go.jp/a_menu/shotou/seitoshidou/20210119-mxt_kouhou02-1.pdf) 2023年8月16日アクセス。

※7　教育相談等に関する調査研究協力者会議「児童生徒の教育相談の充実について――学校の教育力を高める組織的な教育相談体制づくり――」2007年（https://www.mext.go.jp/b_menu/shingi/chousa/shotou/120/shiryo/__icsFiles/afieldfile/2016/12/08/1379214_1.pdf）2023年8月16日アクセス。

※8　同上。

※9　上田閑照「自己の現象学―禅の十牛図を手引として」同書。その他、関係書として、上田閑照、柳田聖山『十牛図』（筑摩書房、１９９２年）、上田閑照『十牛図を歩む――真の自己への道――』（大法輪閣、２００２年）、上田閑照『上田閑照集　第九巻』（岩波書店、２００２年）、上田閑照『上田閑照集　第六巻』（岩波書店、２００３年）。

※10　たとえば、鈴木大拙「一禅者の思索」の中の「最高の精神的思想」『鈴木大拙全集第15巻』１９６９年、41頁。

※11　井上ウィマラによれば「苦（dukkha）は一般的に痛みや苦悩を伴う体験を意味するが、さらには人生において完璧な満足や安心が得られない不完全性や不確実性をも包含する概念」という（井上ウィマラ「四聖諦」井上ウィマラ・葛西賢太・加藤博己『仏教心理学キーワード事典』春秋社、２０１２年、p. 14）。

※12　文部科学省「中学校学習指導要領　第３章　特別の教科　道徳」平成29年３月告示

※13　文部科学省「道徳教育アーカイブ」の中の「工夫事例（指導案）」（高知県教育委員会）より（https://doutoku.mext.go.jp/public/casestudy/practicalcase/109/）２０２３年９月10日アクセス。

※14　自己肯定感については以下の調査がなされている。「こども・若者の意識と生活に関する調査（令和４年度）」「第２部　調査結果の概要Ⅰ」の中の「第１章　10歳～14歳対象調査」（令和５年３月内閣府）以下の図６－１、６－２は４頁より（https://www8.cao.go.jp/youth/kenkyu/ishiki/r04/pdf/s2-1.pdf）２０２３年９月10日アクセス。

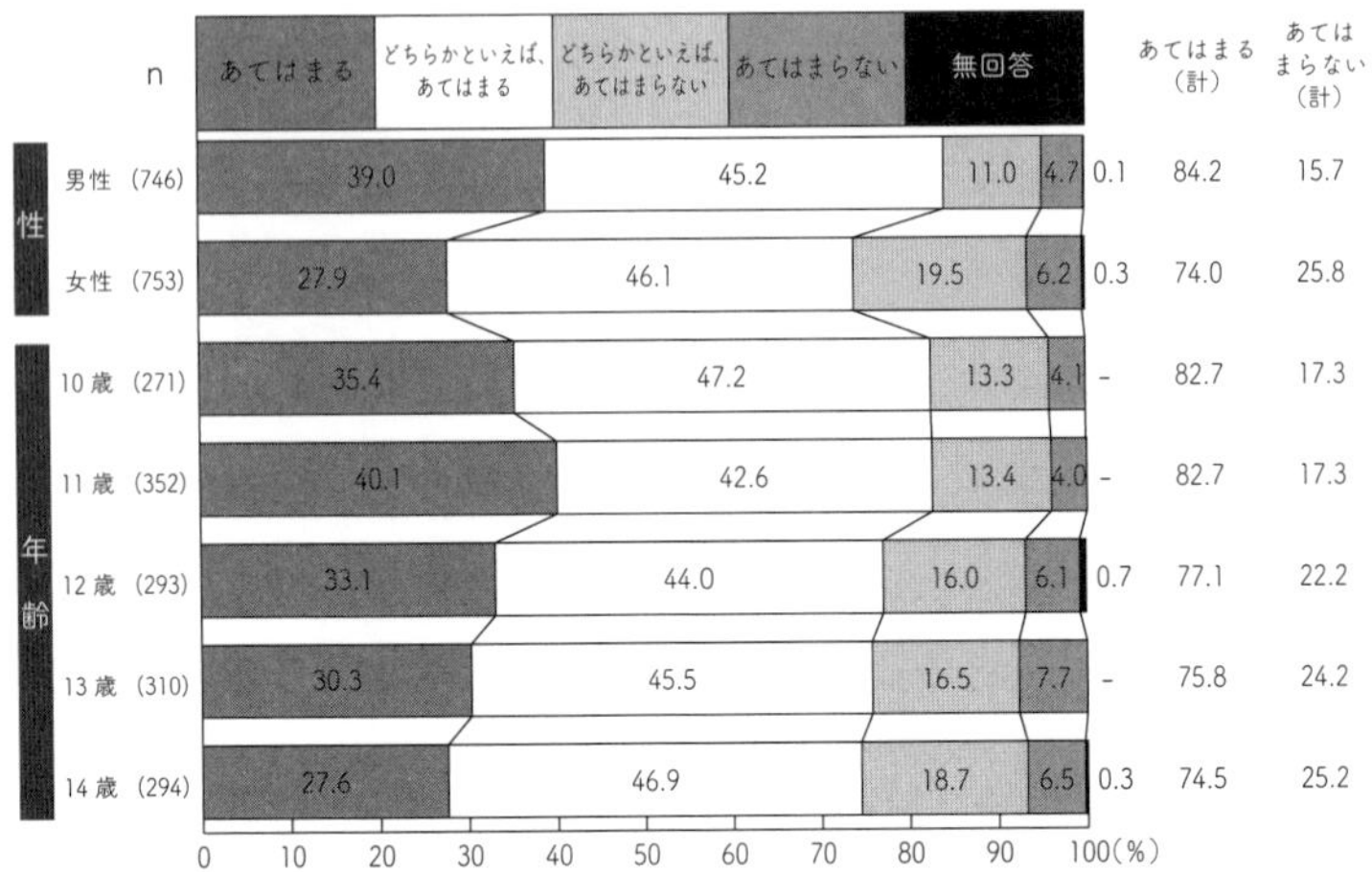

図６－１　自己認識：今の自分が好きだ（性別、年齢別）

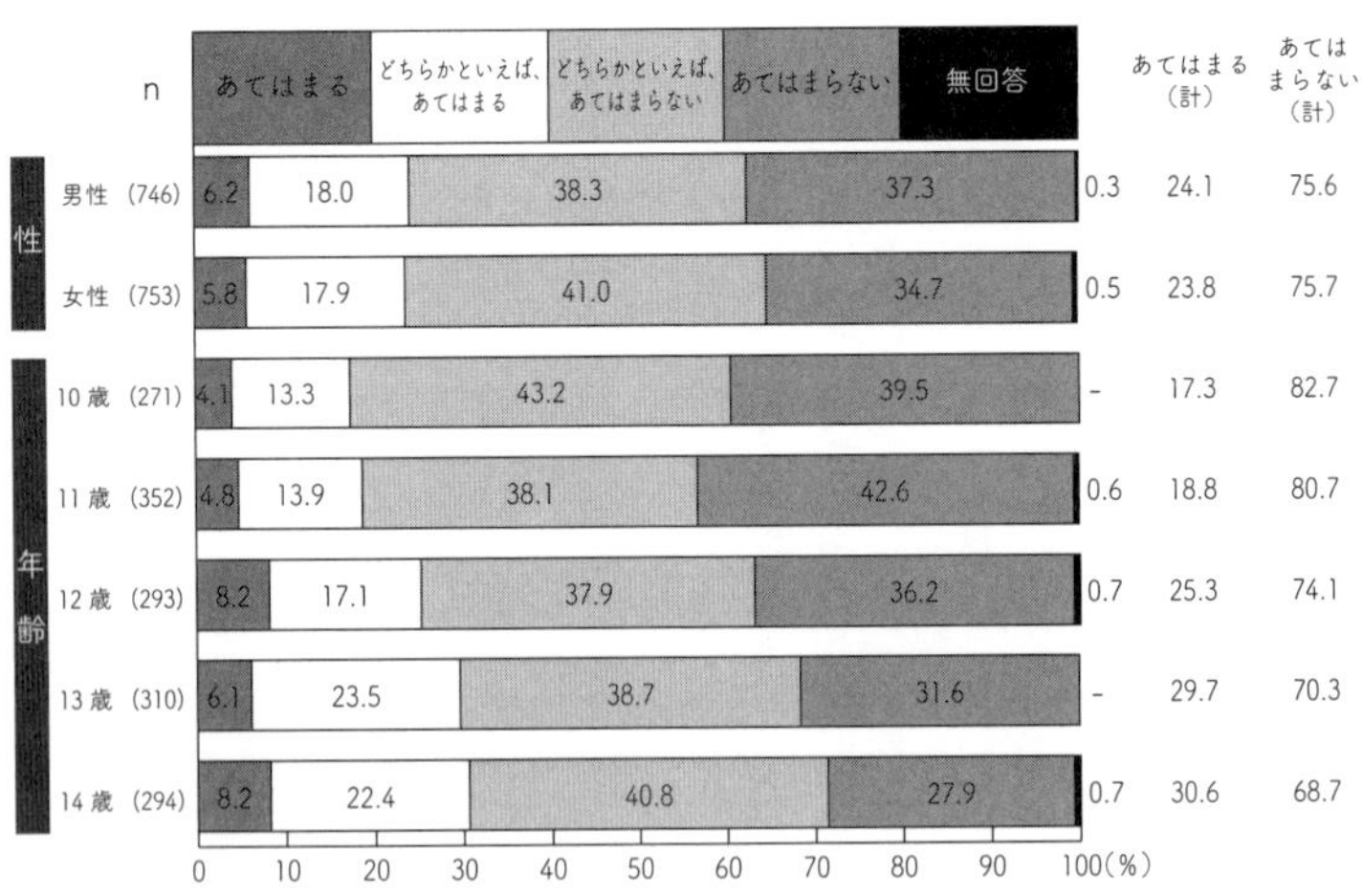

図６－２　自己認識：自分は役に立たないと強く感じる（性別、年齢別）

※15　「学習指導要領」第3章「特別の教科　道徳」では、「特別の教科　道徳（道徳科）」の目標が以下のように記載されている。「第1章総則の第1の2の⑵に示す道徳教育の目標に基づき、よりよく生きるための基盤となる道徳性を養うため、道徳的諸価値についての理解を基に、自己を見つめ、物事を広い視野から多面的・多角的に考え、人間としての生き方についての考えを深める学習を通して、道徳的な判断力、心情、実践意欲と態度を育てる。」（文部科学省、中学校学習指導要領、平成29年告示）

※16　内閣府による「平成30（２０１８）年度に「我が国と諸外国の若者の意識に関する調査」」の結果分析とそのまとめでは、「日本の若者は、諸外国の若者と比べて、自分自身に満足していたり、自分に長所があると感じていたりする者の割合が最も低く、また、自分に長所があると感じている者の割合は平成25年度の調査時より低下していた。」と紹介されている。

内閣府「特集1　日本の若者意識の現状〜国際比較からみえてくるもの〜」２０２３年8月17日アクセス（https://www8.cao.go.jp/youth/whitepaper/r01gaiyou/s0_1.html）

※17　「昭和22．3．19　貴・教育基本法案特別委員会」文部科学省「昭和22年教育基本法制定時の規定の概要　＞第9条（宗教教育）」より（https://www.mext.go.jp/b_menu/kihon/about/004/a004_09.htm）２０２３年8月17日アクセス。

参考文献

伊藤亜紗編　2021.『「利他」とは何か』集英社（集英社新書）.
上田閑照　2007.『哲学コレクションⅠ　宗教』岩波書店.
太田久紀　1983.『仏教の深層心理――迷いより悟りへ・唯識への招待――』有斐閣.
太田祐周・大竹鑑　1971.『教育作用における仏教的要素』日本仏教学会編『仏教と教育の諸問題』平樂寺書店.
蒼海寿広　2020.『科学化する仏教――瞑想と心身の近現代――』KADOKAWA（角川選書）.
越川房子　2012.「「無我」の心理学的構造と機能」井上ウィマラ・加藤博己・葛西賢太編『仏教心理学キーワード事

典』春秋社.
越野由香　2000.「C・ロジャーズ　カウンセリング理論の研究」『教育科学研究』17.
坂井祐円　2022.『仏教は心の悩みにどう答えるのか』晃洋書房.
下程勇吉　1976.『宗教的自覚と人間形成』広池学園事業部.
新堀通也　1954.『教育愛の問題』福村書店.
鈴木大拙　1969.「一禅者の思索」『鈴木大拙全集第15巻』岩波書店.
鈴木大拙　1970.「人間について」『鈴木大拙全集第27巻』岩波書店.
スマナサーラ、アルボムッレ　2007.『自殺と「いじめ」の仏教カウンセリング』宝島社.
竹内明　1985.『仏教と教育』佛教大学通信教育部.
友久久雄　2010.「仏教とカウンセリング」友久久雄編『仏教とカウンセリング』法藏館.
長尾三郎　2001.『忘己利他』講談社.
藤田清　1971.「教育体系としての仏教」日本仏教学会編『仏教と教育の諸問題』平樂寺書店.
保坂享　1990.「教育相談における人間観」『千葉大学教育学部研究紀要』第1部.
松本昭　1982.『愛による愛への教育』聖燈社.
李光濬　2010.「禅とカウンセリング」友久久雄編『仏教とカウンセリング』法藏館.

第7章 老いを見つめて生きる

東京都健康長寿医療センター研究所特任研究員　松永　博子

はじめに

最初にことわっておきたいのだが、筆者はまだまだ仏教の表層しか学んでいない下凡（未熟者、門外漢）である。それゆえ、この章に関して、読者は他の章とは少し異なる印象をもつかもしれない。ただ、下凡である筆者も生きていくことに対する仏教の教えを日々感じ、暮らしている。また、生きること、念じること（祈る）が筆者の生きていく力になっていることを実感している。筆者の専門領域は、老年学でさらに詳しくいうと、老年心理学、生涯発達心理学であるが、この章では仏教の四苦「生老病死」について、筆者の研究や研究チームの研究成果等を交えながら書き進めていきたい。

先に記した老年学という学問はまだ日本においては新しい領域である。老年学＝Gerontologyとは死生学＝Thanatologyに相対する言葉であり、老いてなお「生きる」をみつめるという言葉がもしかしたら適切かもしれない。現在、色々な研究に関わっているが、その中でも、筆者が研究を志した出発点はSuccessful Agingであった。以下、老年学やSuccessful Agingについて紹介する。

まず、あなたの思っている人生のスパンは思ったより長いということを実感していただきたい。

Successful Agingとは、老年学の一番のトピックとも言えるキーワードであり、「幸福な老い」という訳が一番多く使われているかと思う。しかしながらSuccessful Agingの明快なモデルはまだ確立していない。その理由として、色々な分野によって研究がされていることが原因と考えられている。

以下は、杉澤（2015）の論文を引用して紹介するとしよう。Successful Agingには、①社会学、②医学、③心理学のモデルがある。①社会学では、1950年代に提唱された「活動理論」とそれに対するように1960年代に提唱された「離脱理論」がある。中年期と同じように活動し続けようとするものと、いわゆる隠居にように社会から離脱していくことが好ましいという相反するものであるが、その決着はつかないままである。②医学では、1990年代に示されたロウとカーンの説が有名である。それは、これまでの老化は遺伝的・生来的なものであるとされてきたものに反し、病理的な障害やリスクが高い普通のエイジングと、リスクが低く高い機能をもつサクセスフルなエイジングを分けたものであり、その後の定義では、㋐疾患に罹患していない、疾患のリスク要因を保有していない、㋑機能に障害がない、㋒社会参加している、という三つを満たした状態をサクセスフルであるとした。③心理学分野では、リフらの提唱した成長・発達という視点から想定される良好な心理的関係をサクセスフルとしたものや、バルテスらにより提唱された「補償を伴う選択的最適化理論」がある。それは、加齢に伴う衰退への適応に着目したものである。三つの分野以外のSuccessful Agingのモデルとしてニューガルテンらが提唱したモデルは、高齢者自身の主観による尺度であり生活満足度を測るものである。ここまでが杉澤（2015）による引用である。

このようにSuccessful Agingには色々なモデルがあるが、個人的には主観的なSuccessful Agingを追求していきたいと考えている。筆者は、博士論文で中年期の人の望む老後像に関する研究として中年期にある人のSuccessful Agingを明らかにした。中年期の人に自由に語ってもらった内容を基に「中年期の人の望む老後像に関する三つの尺度」を作成し、その尺度を用いて、「挑戦と活動」「自立（家族に迷惑をかけない）」「放棄」を測る事を可能とした。さらにその「挑戦と活動」「自立（家族に迷惑をかけない）」に存在する望む老後像のヒエラルヒーを明らかにした。つまり、中年期の人の望む自分自身の老後像とは2段構えの望む老後像であり、自立した生活が送れてるなら色々な挑戦や色々な活動をしたいというものであった。[※1] あなたは、自分の老後をどのようにイメージしているだろうか？

小田（2003）は高齢者への準備についての研究から、50代前半までに高齢期の準備を漠と考え、60代前半までに高齢期の準備を真剣に考え、準備を始めた人は、高齢期の生活満足度や幸福感が高く、高齢期の準備を考えたり始めたりするのが遅い人は、自らの老化を強く意識している事を示した。さらに、鈴木ら（1997）は、中高年を対象とした研究において、人生設計と現在の満足感との関連から、人生設計済みの方が現在の満足感が高い事を示した。つまり、より早い段階で自分の老後を意識し、準備していくことが将来だけでなく現在の自分の満足度を高めることに繋がるのである。

私自身、若い頃は2～3年後の将来像しか思い浮かべることが出来なかった。もはや、自分が高齢者になるなんて全く考えたこともなかったが、男性の平均寿命は81・05歳、女性の平均寿命は87・09歳[※2]ということからも、自分の人生はこの後およそ何年あるのか？　今まで生きてきた分の何倍か？ということと考えて「生きる」をみつめ主体的に自分の人生に関わってほしい。

次に、この本は仏教に関連した本である。宗教の話をするということは、信仰がない人にとっては怖いことかもしれない。事実、日本において宗教を語ることは多くの場面でタブーに等しい。もちろんその人の信仰する宗教によって差別などが生じるとしたらそれは最も残念なことである。確かに宗教が問題を起こしてきたこともある。だからこそ、宗教を正しく学ぶことが求められてもいる。人生で落ち込んだとき、心が弱くなっているときに出遭ってしまうと、問題となる宗教であっても心がコントロールされてしまう場合がある。ただし、ここではそれら問題となった宗教について具体的名称を記載することを避けたい。

改めて、信仰について考えてみてほしい。多くの日本人は色々な宗教観をも持ち合わせている。しかしながら、多くの日本人は「信仰を持っていない」という人が多い。世界的にみると日本人の持つ宗教観は魔訶不識なもののようである。海外において、信仰を持たない人は教会にも、寺にも神社にも行かない。けれども、多くの日本人は、お正月には神社に詣で、観光地に行けば、その土地の神社仏閣、教会などにも参拝する。また、湧き水や滝、日の出、日の入りにも清らかさを感じ、合掌する。そして、先祖崇拝の意識も持っている。つまり多くの日本人は「無信仰」ではなく「多信仰」なのだと私は考えている。例えば、田舎の家には神棚も仏壇もあるのをご存じだろうか。

海外に住む知人が国外にあって初めて、自分の中の仏教思想に気づいたことがあった。もしかしたら、そもそも備わっていた仏教思想に気づくことが本書の学びの重要なポイントであるかもしれない。キリスト教では、絶対的存在としての創造主とその子らという二極しか存在しない。さて、あなたはどうだろう。自分が死んだらあの世に行って先に亡くなった先祖に会えると思っているだろうか。雑草にも湧き水にも石にもいのちを感じるだろうか。そして、いつか自分が死んだら仏になると思っているだろうか。

1 生きる・いのち

『よく生きよく笑いよき死と出会う』という本はアルフォンス・デーケンの著書であり、彼は、日本に死生学を紹介した人物としても有名である。デーケンの仲介によって『死の瞬間』の著者でもあるキューブラ・ロスも来日した。デーケンはキリスト教の祭司でもあるが、生きることと死ぬことを同一の線（人生）にあるとして表現をしている。

多くの人は仏教を死後のことを説いたものと捉えているかもしれないが、実際には生きるためのことをも説いてもいる。例えば、江戸時代に行われていた寺子屋制度[※3]である。つまり、寺において行われていた教育を指すことからも仏教がその働きを担っていたことがわかるだろう。つまり、生きることを教えていたということである。

あなたは、日々をどのように迎えているだろうか。その日その日を大切に迎え、生きることを実感しているだろうか。多くの人は、日々にとらわれず、あっというまの一週間、一ヶ月、一年を迎えているのではないだろうか。今、気持ちを新たに一日の始まりと終わりを実感してもらいたい。

先にも記したが、2023年7月発表の男性の平均寿命は81・05歳、女性の平均寿命は87・09歳となり、前年と比較して男は0・42歳、女は0・49歳下回った。[※4]その原因には、COVID–19が作用して

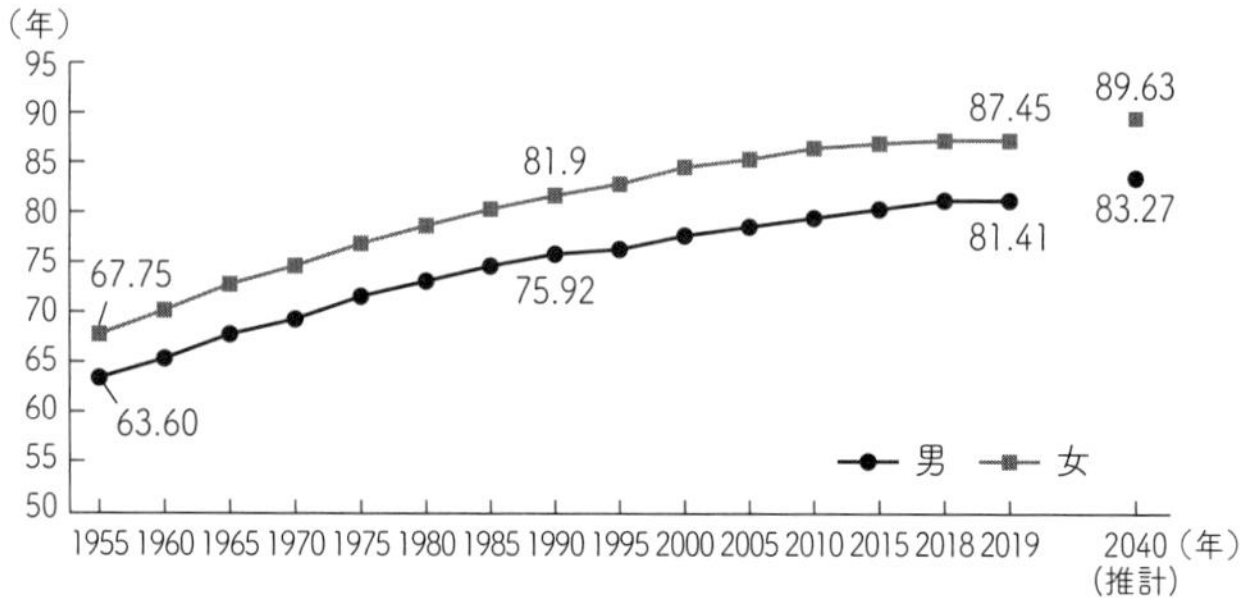

図７-１　平均寿命の推移

資料）2019年までは厚生労働省政策統括官付参事官付人口動態・保険社会統計室「令和元年簡易生命表」，2040年は国立社会保障・人口問題研究所「日本の将来推計人口（平成29年推計）」における出生中位・死亡中位推計．

出所）「令和４年度版　高齢社会白書」図１—１—４，https://www8.cao.go.jp/kourei/whitepaper/w-2022/html/zenbun/s1_1_1.html.

いると考えられている。国により作成基礎期間や作成方法が異なるため、厳密な比較は困難であるものの平均寿命の国際比較によれば、女性では日本が1位、男性では日本が４位である。[※5] １９５５年からの平均寿命の推移を**図７-１**に示す。[※6] 先にも述べたが、この数年COVID−19の影響により平均寿命が短くなる傾向となったが、それまでの日本は国際的にも長い間首位を保っていたのだ。

２０４０年の推計によれば、人生90年時代の到来もそう遠くはない。ただし、人生１００年時代を提唱している政府からするともう少し先の話であることが如実にわかる。平均寿命はあくまでも平均であるが、自分のこの先の人生の長さを想定する目安にはなる。人生は思ったより長く続くということをわかってもらえただろうか。

図７-１から、２０１９年に80歳になる人たちは、１９４０年前後に生まれた人たちである。戦争の影響もあるが、１９４７（昭和22）年の男性の平均寿命は50・06歳、女性の平均寿命は53・96歳であった。つまり、現在80歳になる高齢者が、小学生になるかならないかの頃に

出会っていた高齢者は50歳代までの人生であり、自分たちは子どもの頃に会っていた高齢者よりもはるかに長い人生を生きているわけである。さらに、自分が見ていた高齢者は50歳代で亡くなる人が多かったことから見本となるようなロールモデルも存在していない。また、２０１９年のおおよその定年が60歳であり、高年齢者雇用安定法を適応し、65歳まで再雇用制度を活用し働き続けたとしても、80歳まで15年は人生が続くわけである。

あなた長生きしたいと思うだろうか？　それとも長生きしたくないと思うのだろうか？　筆者は、若いころに長生きなんてしたくないと思っていた。それでも、日々を重ねてきた。実感としては、30歳くらいから加齢を重ねても、心自体はそれほど歳をとっていかないものである。

生きることに悩んだこともある。それも何回もある。「生」は、四苦の一つでもある。生きることは時には辛く苦しい。いのちを手放してしまいたいと考えたこともある。でもそれでも生きてきた。筆者の大学院での一つの大きな学びは、いのちは自分だけのものではないということだ。あなたは自分のいのちはだれのものだと考えているだろうか？　もし、自分のいのちは自分のものという人がいたとすれば、あなたは自分の大切な人が悩み苦しみ自分に何も告げることなく死を選択してしまったとしたら、あなたはどのように感じるだろうか？　と聞いてみたい。その大切な人のいのちはその人のものだから仕方がないなどと思えるだろうか？　もし私なら、悩み苦しみ自分が何の手立ても出来なかったことをずっと思い続けると思う。そして、なぜその選択をしたのかずっと思い悩み、その後の人生を前向きに生きていくことが出来なくなると思う。だからこそ、いのちはその人（自分）だけのものではないのだ。

大切な人が終末期にあったとしたら、本人は凄く痛み苦しんでいるかもしれないが、私なら一分一秒でも長く生きてほしいと思う。だからこそ、終末期にあるのが自分であったとしたら辛くとも苦しくとも家族のために息をしようと思う。そして、最終的には残る家族にいのちを委ねていきたい。

多くの人は、周囲や人に迷惑をかけないように自立した生活をしたいと考えている。逆に、人に迷惑をかけるのが嫌だとも言える。けれど、人は実際には多くの人に助けられ、支えられて生きている。コロナ禍において、この言葉は使われたくないという方たちもいるかもしれないが、エッセンシャルワーカーの方々がいなければ世の中は続いていくことは出来なかった。そのことに気づけば、人は常に周りの人に助けられ支えられ生きているのである。そして、老いていくこと、死に向かうことは自分のいのちを周りの人たちに少しずつ委ねながら手放していく過程なのではないかと感じている。少しずつできることが少なくなっていっても、あるがままを見せていくことがいのちの意味であり、いのちのバトンなのではないかとも感じている。

この節での最後に、「いただきます」の話をしたい。この内容は昔から言われてきた内容でもあるが、その話に授業で聞いた内容を加えて紹介したい。「いただきます」は、これから食べるいのち（米や野菜や肉や魚）をいただきますということである。いのちをいただくことへの感謝の思いである。では、それらのいのちをいただいた私たちはどうすればいいのだろうか？　ここからが授業の内容である。「大切ないのちをいただいて永らえることができたいのちを何かのために誰かのために役に立つ働きをします。そしていただいたいのちへの恩を返します。」というものであった。私はこの話を聞いて、いつでも「いただきます」と両手を合わせてから食事をしている。そして、今、少なからず人の役に立つ仕事に携わっている。

2　老いる

筆者は現在、東京都健康長寿医療センター研究所の社会参加とヘルシーエイジング研究チーム、社会参加・社会貢献チームに属して研究をしている。

研究というと白衣を着て試験管やビーカーで何か薬を作っているのだろうかと思うかもしれないが、我々のチームでは高齢期においても社会参加をし、社会に貢献していくことが、高齢期において社会に必要とされるだけでなく高齢者自身の健康や生きがいに繋がっていくという取り組みやそのような機会の創出を行っている。つまり、高齢者が生きがいを持って社会に関わることは、高齢者自身だけでなく、高齢者の活動（仕事、ボランティアなど）の対象の幸せになり、それが地域のためにもなるといった「三方良し」の取り組みである。

具体的な試みとしては、①高齢者の就労支援に関する研究、②生活困窮者の支援に関する研究、③自治体における絵本読み聞かせボランティアの育成等の研究に従事している。

（1）高齢者の就労支援に関する研究

高齢者の就労は高齢者自身の身体機能の維持になることが知られている。確かに、働きたい高齢者が社会に繋がり社会に役立つことが推奨されている。シルバー人材センターも生きがい就労の一つの取り組みである。[※7] 高年齢者等の雇用の安定等に関する法律（以下、高年齢者雇用安定法）では２０２１年４月から70歳までの就業確保措置（努力義務）が、施行されている。私の所属するチームでは２０１４年度から高齢者就労支援プロジェクト：ESSENCE Study研究会を立ち上げ、活動を続けてきた。[※8] 総務省統計局の報告によれば、２０２１年の高齢者の就業者[※9]（以下、高齢就業者）数は、２００４年以降、18年連続で前年に比べ増加し、比較可能な１９６８年以降、９０９万人と過去最多となっている。[※10]

２０２１年の高齢者の就業率[※11]は25・１％となり、前年と同率になっている。年齢階級別[※12]にみると、65〜69歳は10年連続で上昇し２０２１年に初めて50％を超えて50・３％となり、70歳以上は５年連続で上昇し２０２１年に18・１％となっている。[※13]

あなたはこの人数を多いと思うだろうか、それとも少ないと思うだろうか。老齢基礎年金の支給開始が60歳から65歳に段階的に引き上げられ、また67歳へとさらに引き上げられていくことを考えると[※14] いつまでもいきいきと働き続けたいと思う一方で、働かざるを得ない現状も垣間見える。高齢者の就労は今後さらに推進することが予測され、就労を希望する高齢者を企業に橋渡しをする就労支援施設には期待が寄せられている。ハローワークでは２０１６年から全国の主要なハローワーク３００ヶ所に「生涯現役支援窓口」を設置し、特に65歳以上の高年齢求職者に対して職業生活の再設計に係る支援や支援チームによる就労支援を重点的に実施している。[※15]

就労支援の現場においては、はつらつと働く高齢者像に相対するように、貧困に陥っている高齢者も少なくない。２０２２年度の高齢社会白書によると、「高齢者世帯（65歳以上の者のみで構成するか、又はこれに18歳未満の未婚の者が加わった世帯）の平均所得金額（２０１８年の１年間の所得）は３１２・

6万円で、全世帯から高齢者世帯と母子世帯を除いたその他の世帯（664・5万円）の約5割となっている。[※16] つまり、高齢者世帯の所得は、他の世帯の所得に比べ少ないこと、高齢者世帯の所得階層別分布から、150〜200万円未満が最も多くなっており、これまでの豊かであるとされた高齢期像と異なる実態が示されている。[※17] 生活保護に至っては、2021年度の被保護世帯数は、全体としては減少しているものの高齢世帯においては増加しており、その推移は2005年時の微小な減少以外は、1971年から増加の一途をたどっている。[※18] 藤原（2016）は、アクティブ就業支援センター（以下、アクティブ）の利用者には65歳未満および男性を主とする心理社会的ハイリスク層と、65歳以上および女性を主とする健康や生きがいを探究する2層が混在したことを明らかにしており、今後の動向を想定しても生活困窮に陥る可能性がある高齢者は増加するものと見られ、自己実現のために働こうとする高齢者がいる一方で生活のために働かなくてはならない高齢者も思った以上に存在する。

先に記載した高年齢者雇用安定法の70歳までの雇用の確保についてもこれまで勤務している高齢者が希望した場合の努力義務であり、あくまでも努力義務であることを考えると、高齢になり、新たな仕事に就こうと考える人の就職活動は厳しいことが想定される。

（2）アクティブシニア就業支援センターに関する研究

東京都下においては、中高齢者のための就労支援窓口として東京しごと財団と自治体とで設置しているアクティブシニア就業支援センター（以下、アクティブ）があり、ハローワークの高齢者への新規窓口の設置に先駆けて2002年（エリアにより異なる）から地域に根差した就労支援を行っている。[※19]

２０２３年現在のアクティブは10ヶ所[20]となっているが、まだそのような就労支援施設があること、だれでも無料で利用できることなど認知度は高くないのが現状である。これまでのチームの研究から、藤原（2016）は、アクティブの利用者には心理社会的ハイリスク層と、健康や生きがいを探究する２層が混在したこと、南ら（2017）は経済的な理由から求職している割合が高く、とくに男性および65歳未満では正規社員に近い就業形態を希望するものの精神的健康状態が良好でない傾向を示した。また、一般住民を対象とした研究では、就労している理由を「生活のための収入を得るため」とした者は、最長職の就労形態については自営業主・自由業が多いことが示され（杉浦ほか 2022）、自営業主や自由業者が中高齢者になり、生活に困窮している様子が窺える。

ここで、２０２０年に第15回日本応用老年学会大会で筆者が発表したアクティブにおける就労支援のプロセスに関する研究を紹介したい。以下、目的から結果までその際の抄録を記載する。社会科学系の研究発表の様式となるが、私の研究を理解いただきたいと思いもあり、そのまま記載することにする。

目的：地域に根差したアクティブの就労支援の現場において行われている取り組みを可視化することで、今後の中高齢者を対象とした支援のあり方の基礎的資料になると考えた。

方法：２０１９年９月から２０２０年２月にかけて、都内の全アクティブに調査協力を依頼し、７ヶ所のアクティブの担当者11名に半構造化面接調査を実施した。アクティブの担当者に調査を依頼するにあたっては、東京しごと財団に協力を申し入れ、東京しごと財団の担当者からアクティブの所長会の際に本調査を紹介いただき、同意をいただいたアクティブを面接調査の対象とした。面接調査の際には、調査の概要を説明したのち、調査協力が任意であること、同意をしなくても不利益は生じない等の説明の上、同意を得て面接調査の内容を録音した。本面接調査に際しては、東京都健康長寿医療センター研究所の研究倫理委員会の承認を得て実施した（元健イ事第1924号）。面接内容は、アクティブで行われている就労支援のプロセス、特に支援等で気を付けていること等であった。

就労支援のプロセスの分析には、複線径路・等至性モデル（Trajectory Equifinality Model：以下、TEM）を援用した。TEMは、サトウタツヤにとって提唱された手法であり、等至性（Equifinality）の概念を文化心理学や発達心理学に取り入れようとしたJann Valsiner（ヤーン・バルシナー）の創案に基づき、人がそれぞれ多様な径路を辿っていたとしても、等しく到達するポイント（等至点）があるという考え方を基本としている（荒川ほか 2012）。

次に、支援で特に気を付けていることに関しては、質的内容分析を用いた。質的内容分析の手法として、上野（2008）の紹介した手法に則り、語録の作成の後にカテゴリー化、概念の抽出を行った。

結果：高齢就業者数の対前年増減をみると、2012年に「団塊の世代」が65歳となり始めたことなどにより、2013年から2016年を中心に、65～69歳で増加した（図7-2、7-3）。また、2017年以降は「団塊の世代」が70歳となり始めたことなどにより、主に70歳以上で増加している。[※21]

支援のプロセスは、インタビューデータから文脈を重視した切片化を行い、131のラベルから12

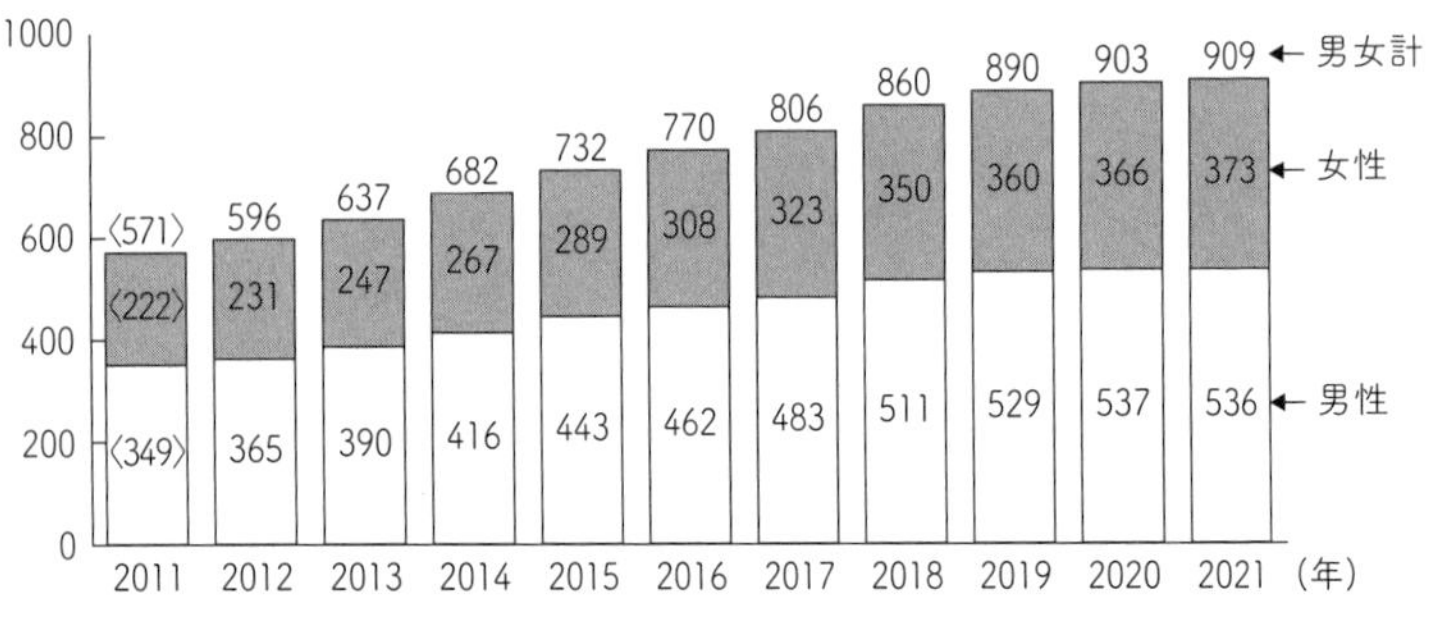

図７－２　高齢就業者数の推移（2011～2021年）

資料）「労働力調査」（基本集計）
注１）数値は，単位未満を四捨五入しているため，合計の数値と内訳の計が一致しない場合がある．
注２）2011年は、東日本大震災に伴う補充推計値．
出所）「総務省統計局統計トピックス No.132 敬老の日にちなんで」図４，https://www.stat.go.jp/data/topics/topi1322.html.

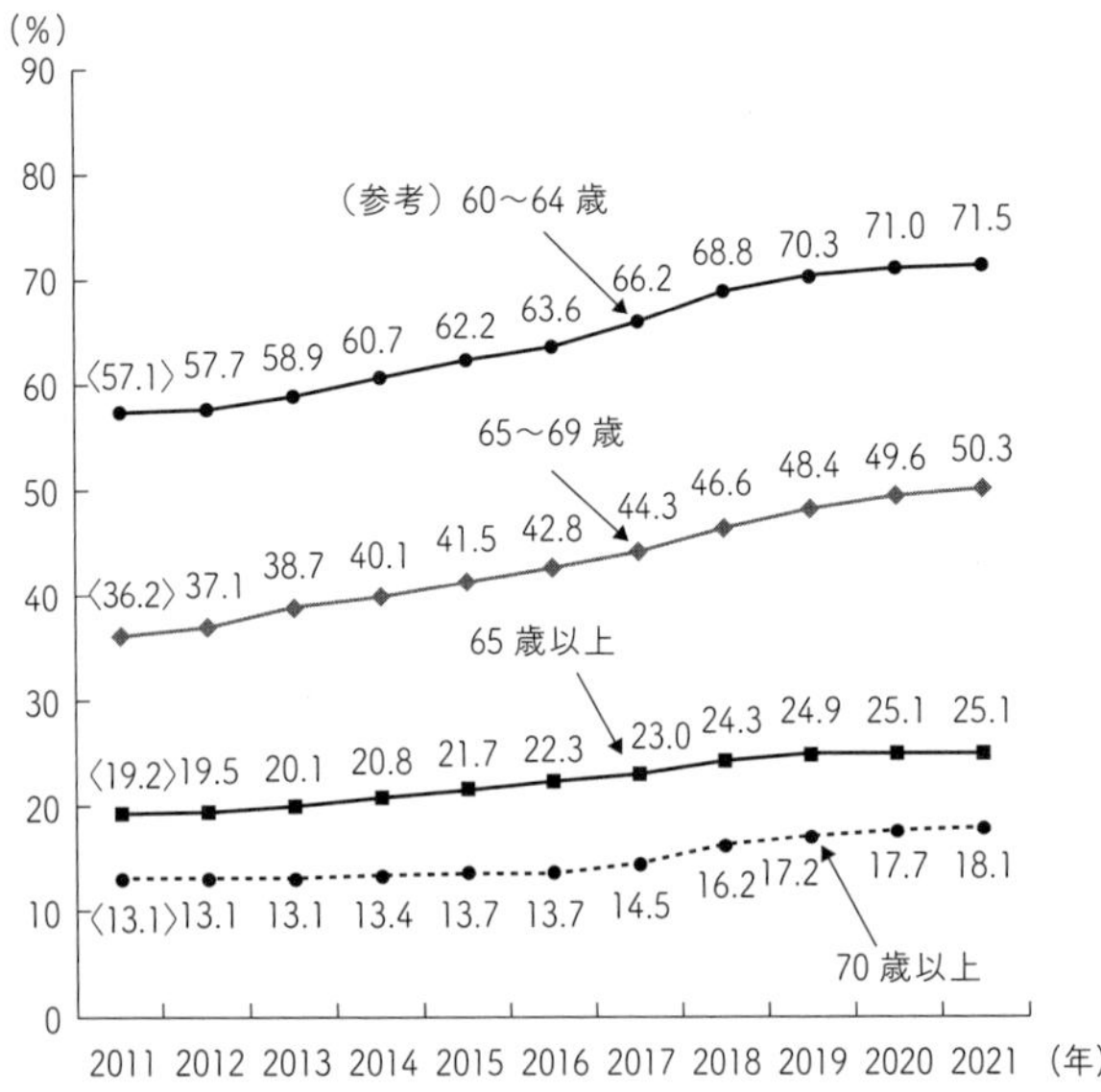

図７－３　高齢者の就業率の推移（2011～2021年）

出所）「令和４年度版高齢社会白書」図１－２－１－12，https://www8.cao.go.jp/kourei/whitepaper/w-2022/html/zenbun/s1_2_1.html.

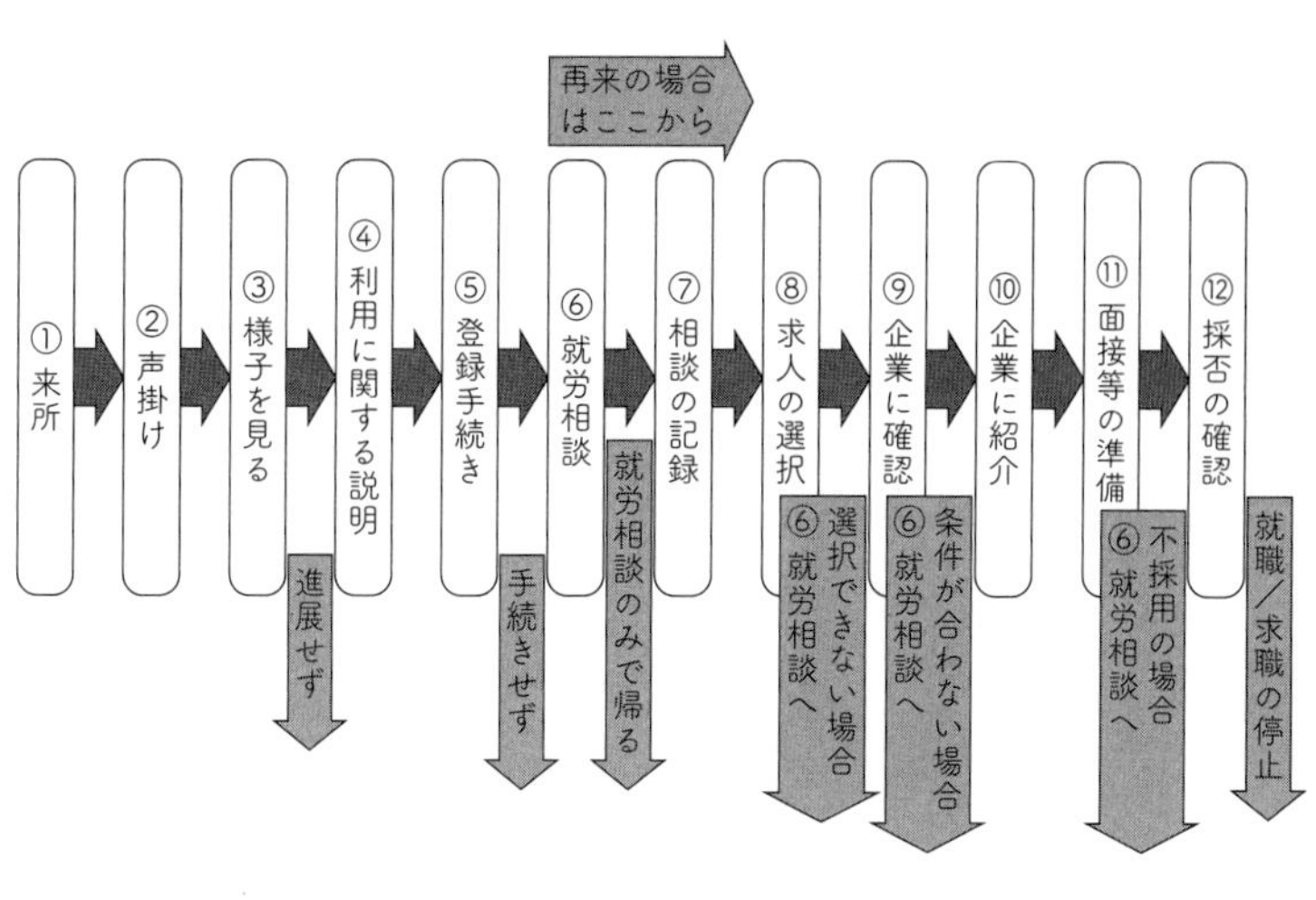

図7-4　アクティブにおける支援のプロセス

出所）筆者作成.

の支援の段階で示された。以下が、その12段階の支援である。①「来所」、②「声かけ」、③「様子を見る」、④アクティブ「利用に関する説明」、⑤アクティブ会員への「登録手続き」、⑥「就労相談」、⑦「相談の記録」、⑧一緒に「求人の選択」、⑨「企業に確認」、⑩「企業に紹介」、⑪「面接等の準備」支援、⑫「採否の確認」、という流れであった。分岐点としては、③の後の「進展せず」、⑤の後の「手続きせず」、⑧の後の「選択できない場合⑥の就労相談へ」、⑨の後の「条件が合わない場合は⑥の就労相談へ」、⑫の後の「不採用の場合⑥の就労相談へ」と「就職／求職の停止」というものが見出された（図7-4）。

支援のポイントとしては、①「接近法」、②「情報収集」、③「具体的支援」、④「お土産」の四つが示された。①「接近法」とは、カウンター越しではなくカウンターを出て来所者に接近して対応することを意味している。就職先探しが進まず、求人票を眺めている人に積極的に関わろうとしていた。②「情報収集」とは求人票に記載されていない、もしくは記載できない内容の把握である。具体的には、企業の希望する性別や年齢について電話等で聞き取り、手元資料に残していた。さらに、書類審査ではなく面接から開始してもらえるような提案や、健康診断書の提出時期を採用確定後にできないかと交渉するなど採用になりやすい方法や、経済的な負担の軽減に繋がる方法を模索していた。③「具体的支援」とは、履歴書の書き方講座の開催や模擬面接などを意味しており、アクティブ内に設置されたパソコンを使用して履歴書等の書類の作成ができるよう支援していた。④「お土産」とは、来所した人を手ぶらで帰さないよう来所者の希望に近い求人票を帰りまでに探しておき、帰る直前で手渡し、次回の来所を促す方法を意味していた。

ここまでで見いだされたことを箇条書きにまとめると以下のとおりである。

- アクティブにおける就労支援とはカウンターを超えた取り組みであった。
- 一人一人に寄り添った個別支援が行われていた。
- 情報収集による後方支援が実施されていた。

この紹介を通じて、おおよそ55歳以上を対象とした無料職業紹介所、アクティブの活動がより多くの人に周知されることを期待している。

アクティブを対象とした研究は引き続き実施しており、また別の機会に報告したい。

（3）生活困窮者の支援に関する研究

2015年に第二のセーフティネットと呼ばれる生活困窮者自立支援法が成立した。生活困窮者自立支援法に基づき実施されているのが生活困窮者自立支援制度であり、生活困窮者自立支援制度では、働きたくても働けない、住む所がないなどという人を対象とした相談支援窓口を各自治体に設置し、その人に応じた自立支援を実施している（自立相談支援事業）[※22]。それ以外にも、家計の立て直しのアドバイス（家計改善支援事業）、柔軟な働き方による就労の場の提供（就労訓練事業）、生活困窮者の子どもの明るい未来への支援（生活困窮世帯の子どもの学習・生活支援事業）、住居のない方へ衣食住を提供する事業（一時生活支援事業）、就労の準備に向けた事業（就労準備支援事業）などが実施されている。

筆者は、東京都23区内に東京都福祉保健局が設置し、特別区人事・厚生事務組合が事務を行っている5ヶ所の自立支援を対象とした自立支援施設において調査を実施した。入居者は地区によって異なるものの、20歳前後位もしくは高齢者が多いことがわかっている。調査の結果については、まだ詳細を記すことは出来ないが、東京都特別区に5ヵ所設置されている自立支援施設は、先の自立支援事業の一時生活支援事業と就労準備支援事業を施設内で一体的に実施している。

生き、老いていく過程においては、生活に困窮し、住まいを失う場面も出てくる可能性がある。日本においては、先ほど記した生活困窮者自立支援法があり、住む場所を失いそうな場面や生活に困窮している場面においてもその人その人の状況に合わせた支援を受けることができる。自治体の相談窓口では一人ひとりの状況に合わせた支援プランを作成し、専門の支援員が相談者に寄り添いながら、他の専門機関と連携して、解決に向けた支援を行なっている。それでも難しい場合には生活保護を申請することも可能である。経済的な問題により老いること、生きることが難しい場合においても相談や保護の申請で問題は解決できる。

他には、養護老人ホームや軽費老人ホームもある。みなさんは、養護老人ホームや軽費老人ホームを知っているだろうか。養護老人ホームとは、環境上の理由と経済的理由により自宅での生活が困難な高齢者が、市区町村の「措置」により入所する施設であり、全国に952施設存在している。[※23]また、軽費老人ホームは、無料又は低額な料金で家庭環境、住宅事情等の理由により居宅において生活することが困難な老人を入所させ、食事の提供や日常生活上必要な便宜を供与する施設であり、全国に2309施設存在している。[※24]

生活困窮者自立支援施設や生活保護、養護老人ホームや、軽費老人ホームなど本人や周囲が申告することで支援を受けることが可能になる。福祉的支援を受けることを申告することへのハードルはあるかもしれないが、必ずどこかに助けの手は差し伸べられている。

筆者にとって関心があるのは、支援の現場における支援者のバーンアウトを防ぐことである。困っている人を助けたいと思い福祉に従事している人が仕事を続けやすくするためのニーズ把握や環境整備に役立つ知見を得ることを主眼として研究を行っている。支援者へのサポートはひいては入居者へのケアに繋がる取り組みである。

このような福祉的支援施設に従事している方々や施設に入所している方々との関わりを通して、日本という国は資本主義国家であるのにも関わらず、まるで福祉国家であると筆者は常々思っている。

先に記した養護老人ホームを2ヶ所見学した。養護老人ホームはあくまでもその名の通り介護は行っていないため、介護を受けなくてはならない場合には、特別養護老人ホームに移動することとなるが、入居者の状況に合わせて食事も通常食から刻み食そして流動食まで準備されていた。一番感じたのは何よりもイメージしていた様子とは異なり、入居されている方々が笑顔で、施設は古いなりにも綺麗で明るかったことである。見学した養護老人ホームの一つは男性寮、もう一つは男女寮で、男女寮の中には仲の良いカップルなのか？と思われる2人が手をつないでテレビを観ている様子を見た。なんとなく心がほっこりしたのを覚えている。三食のケアや服薬管理もされ、看護師の資格のある職員が常駐するなど二つの施設ともに個室ではなく相部屋だが、一人で暮らすよりもずっと幸せかもしれないと思った。そして、日本は本当に困っていても助けてほしいという意思さえあれば見捨てないのだと痛感した。

それはまるで、仏様の無明光のようである。仏様のお慈悲は常に我々の周りに満ち満ちている。それに気づくことが信仰の始まりなのだと私は感じている。いつも無明光は満ちているのだから、私たちは私たち丸ごと良いところも悪いところもその光に委ねていけば良いのだ。

（4）絵本読み聞かせボランティアの育成

多くのエリアでは自治体からの受託により絵本読み聞かせボランティアの育成を行っている（現在、全国16ヶ所）。活動エリアは首都圏が多いが、東北、関西にも読み聞かせボランティア養成講座を修了し、地域の幼稚園、小学校、中学校にて読み聞かせを行っているエリアもある。[※25]

養成に留まらず、エリアの読み聞かせボランティアの方たちに協力を得て、①居場所型産後ケア事業参加者のママと赤ちゃんへの読み聞かせの実施、②小学校・中学校でのSOSの出し方教育において「いのち大切」をテーマとした絵本読み聞かせを実施している。

① 居場所型産後ケア事業参加者のママと赤ちゃんへの絵本読み聞かせの実施

絵本読み聞かせの実施に立ち会い、生後3～4ヶ月の赤ちゃんたちが泣くのを止め、読み聞かせに関心を示していた。また、喃語を発していた。赤ちゃんへの効果は測定できないが、赤ちゃんの頃から読み聞かせを通じた地域の交流が育まれることが地域への信頼感などに繋がっていくものと考えている。母親であるママたちからは、「絵本の読み聞かせで自分たちも癒された」「絵本を読む機会はあっても読んでもらう機会がなくて嬉しかった」という感想が寄せられている。居場所型産後ケア事業参加者のママたちへの絵本読み聞かせの効果はまだ研究中であり、その効果が期待されている。

② 小学校・中学校でのSOSの出し方教育において「いのち大切」をテーマとした絵本読み聞かせの実施

首都圏だけでなく秋田県を含めたの4ヶ所の学校や地域施設において子どもたちのメンタルヘルスケアのためのSOSの出し方教育を実施している。SOSの出し方教育は東京都教育委員会が作成したプログラムの後半部分を改編したもので、メンタルヘルスに関するスライドの後に、我々のチームが養成に携わった絵本読み聞かせボランティアを実施している高齢者に「いのち大切」をテーマに選書した絵本の読み聞かせを入れたものである。絵本読み聞かせというと子ども向けものという印象を持つかもしれないが、絵本読み聞かせがもたらす交流やその効果も期待されている。実際に、小学生たちだけでなく反抗期に突入している中学生も絵本の近くに集まり真剣に絵本の読み聞かせを聞いていた。

これまでの研究結果では、中学生を対象としたSOSの出し方教育の前と後の変化として悩み事があると回答した生徒たちが増えたことが明らかとなっている（小川 2019）。その理由として、イライラしたり、気持ちがふさぎ込んでしまうことが「悩んでいる」という状況だったのだと気づいたものと考える。絵本読み聞かせを通じた世代間交流の成果はすぐには出ないものだが、これからも長い時間をかけて醸成していければとチームメンバー一同考えている。

筆者とチームメンバーは、（1）から（4）の研究を通じて、我々は高齢者の社会参加と社会貢献を実践する手立てを講じている。それこそが仏教で言うところの利他の精神である。我々の研究に参加するそれぞれの高齢者が自分自身のためということ以上に誰かのため、周囲のためになることを手助けしている取り組みでもある。

3 病気

高齢期に向けて国策の一つとして重視されている事柄は、平均寿命の延伸だけでなく、健康寿命と平均寿命の差を縮め、平均寿命に近づけることである[※26]。健康寿命とは、日常生活に制限のない期間であり、介護等を受けないで生活できる期間の平均である[※27]（図7－5）。

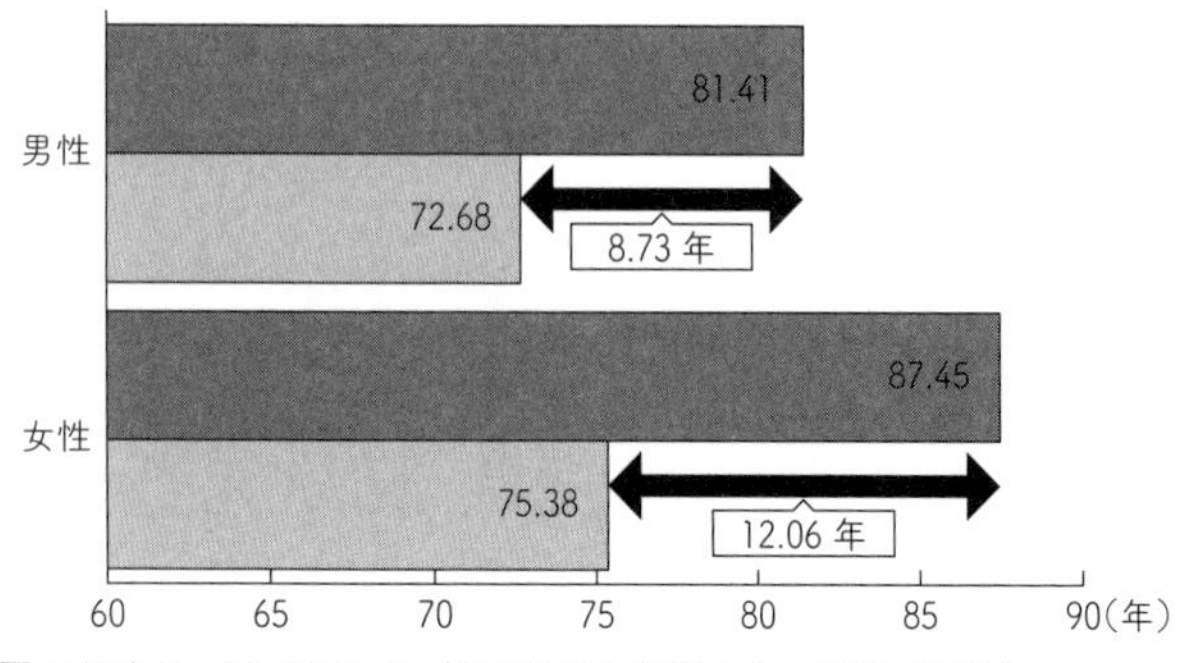

図7－5　平均寿命と健康寿命

出所）「平均寿命と健康寿命」厚生労働省　e-ヘルスネット，https://www.e-healthnet.mhlw.go.jp/information/hale/h-01-002.html#:~:text=%E5%B9%B3%E5%9D%87%E5%AF%BF%E5%91%BD%E3%81%A8%E3%81%AF%E3%80%8C0,%E6%AD%B3%E3%81%A8%E3%81%AA%E3%81%A3%E3%81%A6%E3%81%84%E3%81%BE%E3%81%99%E3%80%82.

正常な老いでも身体機能は変化していく。例えば、臓器機能の低下や予備力・回復力の低下、恒常性維持機能の低下など列記すると少しがっかりするくらい機能は低下していく。[※28] 脳の重さは、成人男性で１３００～１４００グラム、成人女性では１２００～１３００グラム程度だが、90歳になると60歳の脳よりも５～７％程度軽くなると言われている。[※29]

次に、生活習慣病について触れておきたい。まだまだ、先の話と思っている人もいるかもしれないが、生活習慣病とは、食事や運動、休養、喫煙、飲酒などの生活習慣が深く関与し、それらが発症の要因となる疾患の総称である。[※30]「生活習慣病」とは、１９９６年頃から使われるようになった用語で、以前は成人病といわれていた。脳卒中、がん、心臓病を、生活習慣という要素に着目して捉え直した用語が生活習慣病と位置づけられる。国際的には、これに慢性閉塞性肺疾患（ＣＯＰＤ）

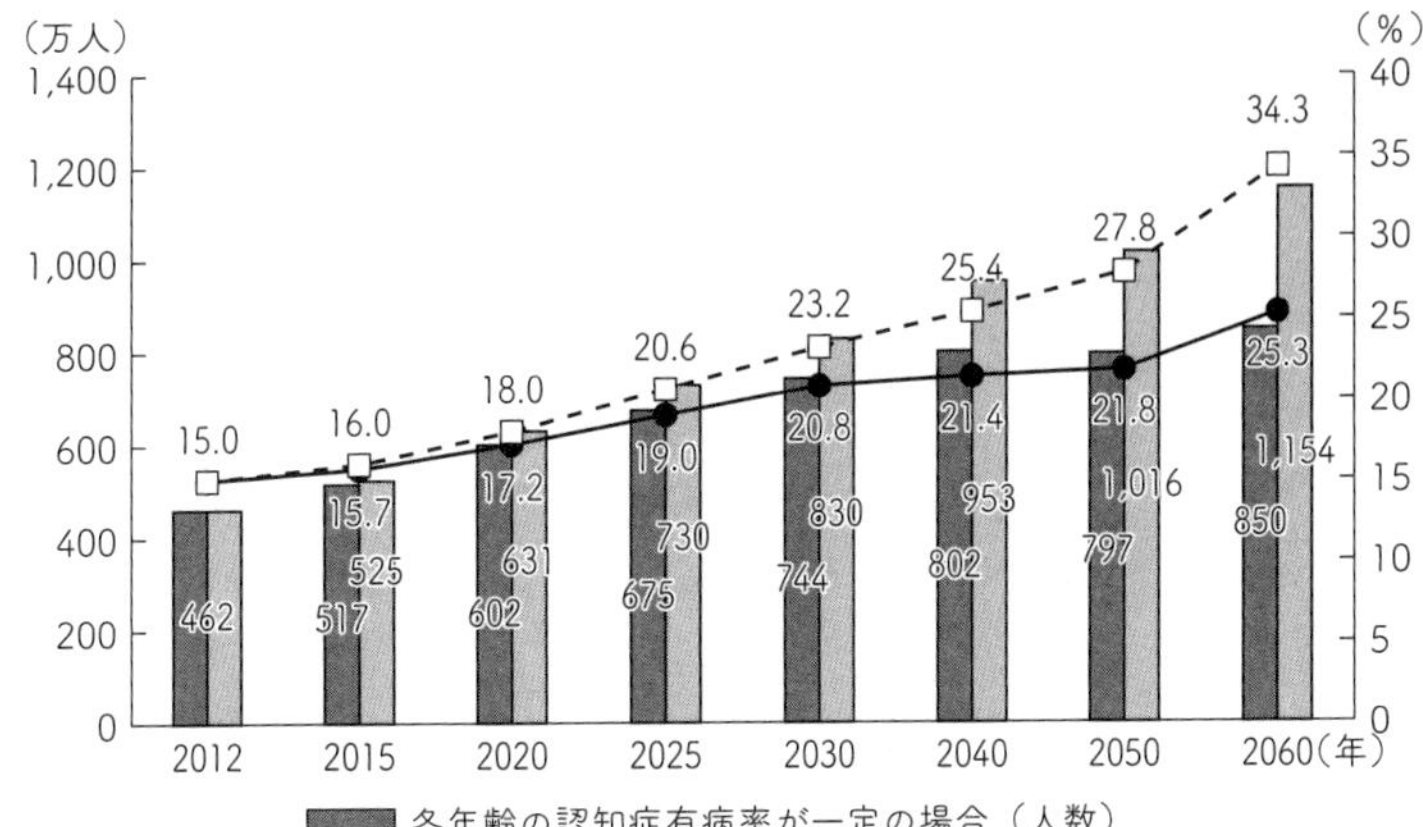

図７－６　65歳以上の認知症患者数と有病率の将来推計

注）長期の縦断的な認知症の有病率調査を行っている福岡県久山町研究データに基づいた，
・各年齢層の認知症有病率が，2012年以降一定と仮定した場合
・各年齢層の認知症有病率が，2012年以降も糖尿病有病率の増加により上昇すると仮定した場合
※久山町研究からモデルを作成すると，年齢，性別，生活習慣（糖尿病）の有病率が認知症の有病率に影響することが分かった．本推計では2060年までに糖尿病有病率が20％増加すると仮定した．

資料）「日本における認知症の高齢者人口の将来推計に関する研究」（平成26年度厚生労働科学研究費補助金特別研究事業　九州大学二宮教授）より内閣府作成．

出所）「平成29年度版高齢社会白書」図１－２－11，https://www8.cao.go.jp/kourei/whitepaper/w-2017/html/gaiyou/s1_2_3.html.

を加えたＮＣＤｓ（非感染性疾患）という言葉も近年よく使われるようになっている。[※31]

生活習慣病を取り上げたのは、もしあなたが20歳代だとしたら、あなたの親世代からの予防により生活習慣病になるリスクを下げられること、あなた自身が今から生活習慣病にならないように生活習慣を見直す機会になること、そして、あなたの祖父母が生活習慣病に罹患されている場合へのケアの仕方について興味を持ってもらえるからである。

事実、年齢階層別に生活習

慣病10疾患の有病者数をみると、60〜64歳が最も多く、次いで、65〜69歳、55〜59歳の順となっている。[※32]

こころも身体も日々の生活から作られている。急に生活習慣を見直してもすぐには効果が出ないことは周知の事実である。だからこそ、日々、こころと身体を整えていくことを念頭に生活していけたらと考えている。それこそが、生きる目的を問うていく仏教なのだと感じている。

最後に、認知症について話題にしないわけにはいかないだろう。2023年8月21日、エーザイと米バイオジェンが開発したアルツハイマー病治療薬「レカネマブ」の承認を厚生労働省の専門部会が了承した。[※33] アルツハイマー病の進行を緩やかにする効果を証明した薬として国内初となる。新薬が市場に出るのは10月もしくは11月以降と見込まれており、その価格も話題にされている。

65歳以上の高齢者の認知症患者数と有病率の将来推計についてみると、認知症の有病率は年齢とともに急速に高まることが知られている。現在、65歳以上の約16%が認知症であると推計されているが、80歳代の後半であれば男性の35%、女性の44%、95歳を過ぎると男性の51%、女性の84%が認知症であることが明らかにされている[※34]（図7-6）。わが国は長寿国であり、認知症と共に生きる高齢者の人口は今後も増加し、2025年には高齢者の5人に1人、国民の17人に1人が認知症になるものと予測されている。[※35] 高齢者の就労支援に関する研究にも記したが、生活のために働かざるを得ない高齢者一定数いることを考えれば、認知症に効果がある新薬が承認されてもそれを入手することができるか否かには、社会経済的な格差が浮き彫りになり、社会的な問題が生じるのも避けられない事実である。

2023年6月14日、認知症基本法が成立し、認知症共生を目的とした取り組みが全国各地で展開される事が期待されている。[※36] 我々のチームは、株式会社オールアバウト・ライフワークス社が実施したものづくりの趣味講座を通じた認知症共生社会への取り組みの介入前後の測定を委託され、筆者もその測定に携わった。

以下、２０２２年に実施された第17回日本応用老年学会大会で発表した内容を紹介したい。目的、方法、結果は大会の抄録から一部改変して記載する。

目的：本報告の目的は、物忘れの不安がある人でも楽しみを持った生活がおくれる事を目指して行われた趣味講座（以下、講座）に参加することによる効果を検証し、今後の講座の発展に寄与する知見を得ることである。

方法：２０２１年度の講座に同意・参加いただいたモニター（本人及び家族）を対象に２０２２年２月から４月にかけて面接調査（対面・オンライン）を実施した（本人11名、家族７名）。質問の内容は、講座を受けた感想やポジティブな変化とした。分析は本人及び家族のデータに分け、分析には概念生成に適したＫＪ法を用いた。本研究は所属機関の研究倫理委員会の承認を得て実施した（R21-043）。

結果：本人及び家族のデータから「講座受講によるポジティブな変化」について概念生成を試みた。

本人：42枚の元ラベルから四つの概念で統合された。「作品を仕上げる楽しさや自信から創作意欲が

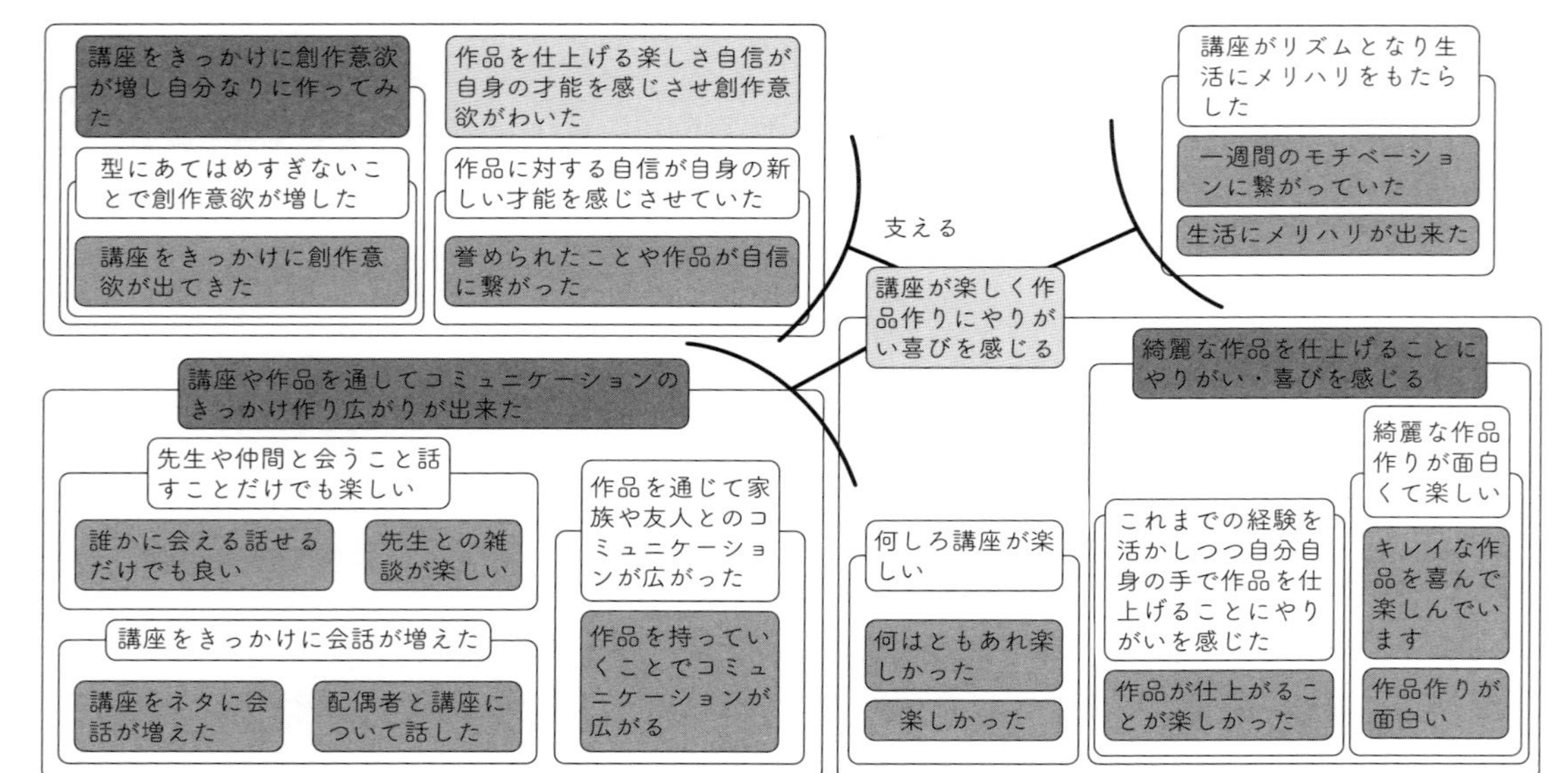

図7-7　講座受講によるポジティブな変化（本人）

出所）筆者作成.

わいた」「講座が楽しく作品作りにやりがいや喜びを感じる」「講座や作品を通してコミュニケーションのきっかけ作り・広がりが出来た」「講座が生活にメリハリをもたらした」という四つであった。

家族：40枚の元ラベルから三つの概念に統合された。「日常に変化をもたらすだけでなく生活にメリハリが生まれおしゃれに気を使うようになった」「たのしく『出来る・やれる』自信が心の安寧をもたらした」「作品を作る喜びが別の作品への挑戦に」という三つであった。

考察：講座受講によるポジティブな変化として以下の点が想定される。

本人：
- 講座が楽しく作品作りにやりがいや喜びを感じてる
- 生活にメリハリをもたらした
- 作品を仕上げ楽しさ自身が自分の才能を感じさせ創作意欲がわいた
- 講座や作品を通してコミュニケーションのきっかけ作り広がりが出来た

最上位概念から、生活満足感や精神的健康が向上しただけでなく、自己効力感にも影響があることが示唆される。また、生活にメリハリが出ただけでなくコミュニケーションが広がったことから生活が改善され社会参加が促進されたことが窺える（図7-7）。

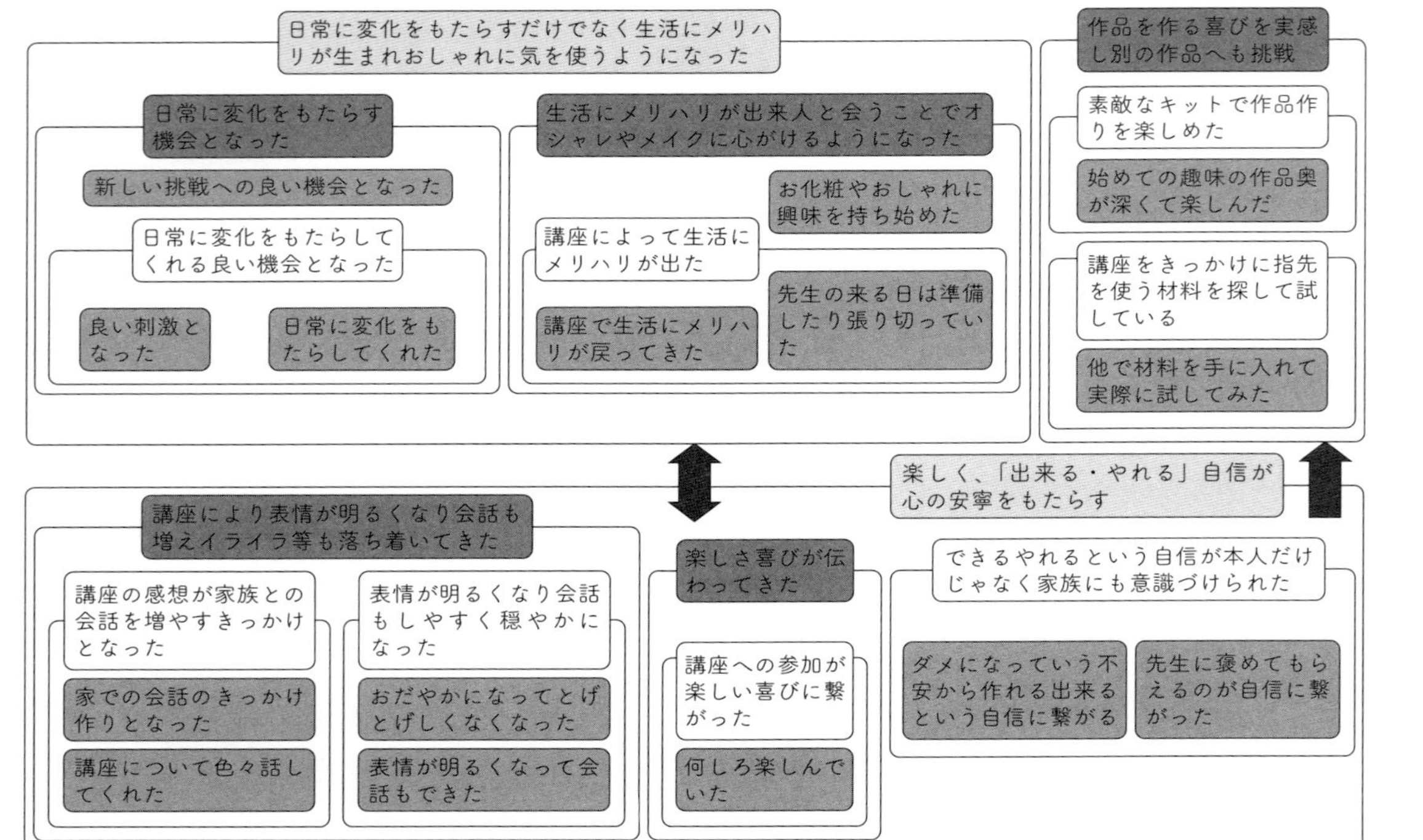

図7-8　講座受講によるポジティブな変化（家族）

出所）筆者作成.

家族：・日常に変化をもたらすだけでなく生活にメリハリが生まれおしゃれに気を使うようになった

・作品を作る喜びを実感し次の作品に挑戦

・楽しく「出来る・やれる」自信が心の安寧をもたらす

上位概念から、講座参加が家族からみても生活にメリハリをもたらしたこと、認知機能が低下すると気を使わなくなると考えられているが、おしゃれに気を遣うという変化が生まれたことから認知機能が低下した本人にも変化があったことが想定される。また、イライラの消失やとげとげしさの消失などを家族は感じておりメンタルヘルスへの効果が想定される。それに加え、家族や周囲との良好なコミュニケーションをもたらしていた（図7-8）。

総合的考察：地域に在住する物忘れを感じている高齢者や軽度認知症者を対象としたものづくり趣味講座の開催は、参加した本人の心の健康や自己効力感の向上が示唆される。また、趣味講座が社会参加を促す契機となっていた。家族からも同様の結果がもたらされていた。

たとえ認知症であっても人は誰かとコミュニケーション（社会参加）をすること、作品を作り上げるという成功体験が心の安寧や自分自身への信頼感ともいうべき自己効力感に影響することが本研究を通して明らかとなった。家族の結果のラベルに「できるやれるという自信が本人だけでなく家族にも意識づけられた」という表札から、認知症となった本人もその家族ももう何も出来ないものと思い込んでいたが、趣味講座で作品を仕上げていく様子から本人だけでなく家族も、本人が作れる・覚える力を宿していることを再認識していた。

実際の世の中では、加齢に伴う病気によって、認知症だけでなく障害を持つ人も少なくない。たとえ障害が生じたとしてもその人のその力が失われたわけではなく、また新たに得られる知識や技術もあるということを研究対象者である本人や家族だけでなく筆者も痛感した。

仏教では、生きとし生けるものすべての「いのち」は平等であると教えている。男女や老少の違い、姿形は違っていても生あるものは、すべて、かけがえのない尊い「いのち」なのだと。[※37]どのような状況にあってもそれぞれがかけがえのない「いのち」であることを思えば障害を負ってもなおその可能性を制限するものは何もない。『法華去惑』には、「およそ差別（しゃべつ）なきの平等は仏法に順ぜず。悪平等のゆえに。また、平等なきの差別も仏法に順ぜず。悪差別のゆえなり。」という一説がある。[※38]「差別（しゃべつ）」とは一般的に使用する人権用語の差別（さべつ）ではなく、異なっていることという意味を持ち、簡単に言えば「様々な違いを認めない平等は仏の教えではなく、平等を認めないで差異を強調するのも仏の教えではない。悪い差別である。[※39]」つまり、互いの違いを認めたうえで平等であるという社会が仏の教えである。

認知症だけでなく、加齢に伴い身体機能が低下することで誰かの支援がなくては社会に参加することが難しい状況にある人も多い。「差別（しゃべつ）と平等」を仏教を通して考えること、また等しいいのちを大切にすることそれこそが利他の精神であり、社会福祉の根本なのではないかと痛感している。

5 死

いろはかるたをご存知だろうか。[※40] いろはにほへと……そこに続く言葉をすべていえる人が若い世代にどれだけいるのか想像もつかないが、次に記載してみよう。

いろはにほへと　ちりぬるおわか　よたれそつねならむ　うゐのおくやま　けふこえて　あさみゆめみし　ゑひもせす

漢字にすると以下のとおりである。

色はにほへど　散りぬるを　我が世たれぞ　常ならむ有為の奥山　今日越えて浅き夢見じ　酔ひもせず

その解釈にはいつくかあるようだが、平野（2003）の解釈を紹介したい。[※41]

「万物は常に生成・変化・消滅しており、一時もとどまってはいない（諸行無常）、生あるものは必ず滅びる（是生滅法）、生まれ死ぬという無常の現世を超越して、悟りの境地に至り（生滅滅已）、煩悩に満ちた現世を脱し、生死の苦から解き放たれたとき、真の楽しみの境地が開かれる（寂滅為楽）」

というものである。

仏教をこれから学ぼうとする読者にむけて平野（2003）の解釈をさらにわかりやすく表現すると、以下のようになる。咲き誇る花たちもいずれは散ってしまうようにこの世は常に移ろいでいる（諸行無常）、今生きている我々も皆、死ぬ定めをまぬがれない（是生滅法）。だからこそ、今この移ろう世を超えた現世に心の安寧（悟り）を得て（生滅滅已）、生きることや死ぬことへの苦しみから解き放たれた時に（いのちを超えて）、この世の様々な悩みや苦しみからも解き放たれる。

筆者もいつか自分も死ぬということは頭ではわかっていてもそれは漠としたものであり、まだ死まで猶予があるものと考えてしまう。先にも記したが、筆者は仏教徒であり、死後は浄土で先に逝った先祖（祖父母、伯父、伯母）にまた再会できるものと考えている。

生と死は真逆のものなのか？　それとも生の延長に死があるのか？　死後の世界をどう考えているのか？　それによって死への不安や不安から来る痛み・苦しみも増減すると考えている。梅原（1993）は、日本人のあの世観として、この世とあの世はよく似たあべこべの世界であるとした。左右、東西南北、時間が逆になるというものである。例えば、親族のお葬式の様子からもそれらがわかる。亡くなった人を北枕に寝かしたり、着物の合わせを左前にしたりする。筆者の生まれ育った地域では、出棺の時に亡くなった人の愛用していた食器を割る。それによってあの世で完全な形となり、向こうで使うためである。真っ暗闇の何もない死後ではなく、よく似た世界でその後も似た生活が続いていくというあの世が本当にはあるかどうか筆者にはわからないが、あることを期待している。

おわりに

神社仏閣に詣でる際には、多くの人が何か気を引き締めたような気分になるのではないだろうか。第2節生きる・いのちに記載したように、仏様のお慈悲は常に周りに満ち溢れている。我々は、ただ、その慈悲に気づけばいいだけである。大須賀（2000）は、阿弥陀経の中の極楽の池について興味深いことを記していた。以下は、大須賀（2000）の引用である。鳩摩羅什の漢訳では、「池中蓮華　大如車輪　青色青光　黄色黄光　赤色赤光　白色白光　微妙香潔」がサンスクリット語では漢訳にない「陰」という言葉があるというものだ。つまり、サンスクリット語では「青色青光青陰　黄色黄光黄陰　赤色赤光赤陰　白色白光白陰」となるべきだろうということである。それにより「池の中の蓮の花はまるで車輪のようであり、青は青く光り、黄色は黄色に光り、赤は赤く光り、白は白く光り、何とも言えない香りを漂わせている」という解釈が、それぞれ影もあってさらに良いというものとなる。さらに、サンスクリット語では、白色白光白影の次に「雑色雑光雑陰」という一節があったことをも大須賀は指摘している。「雑」とはまだらであり、筆者は枯れたり変色したりしている部分も含めて美しいのだということを言っているのではないかと感じている。それは、筆者にはあるがまま／ありのままの自分で生きていていいのだと言われているように思われる。※42

注

※1　桜美林大学大学院：老年学研究科：博士コース論文（https://www.obirin.ac.jp/academics/postgraduate/gerontorogy/course_doctoral/papers_doctoral/r11i8i000001e69t-att/Matsunaga_4.pdf）２０２３年10月１日アクセス。(2017).

※2　厚生労働省：令和４年度簡易生命表の概況（https://www.mhlw.go.jp/toukei/saikin/hw/life/life22/dl/life22-15.pdf）２０２３年９月２日アクセス。(2023).

※3　文部科学省：幕末期の教育（https://www.mext.go.jp/b_menu/hakusho/html/others/detail/1317577.htm）２０２３年９月３日アクセス。(2009).

※4　前掲注２と同。

※5　前掲注２と同

※6　厚生労働省：図表１－２－１平均寿命の推移（https://www.mhlw.go.jp/stf/wp/hakusyo/kousei/19/backdata/01-01-02-01.html）２０２３年10月１日アクセス。(2021).

※7　公益社団法人全国シルバー人材センター事業協会：シルバー人材センターとは（https://zsjc.or.jp/about/about_02.html）２０２３年10月１日アクセス。(2023).

※8　地方独立行政法人東京都健康長寿医療センター研究所：社会参加とヘルシーエイジング研究チーム：高齢者就労支援プロジェクト（https://sites.google.com/site/elderlyemployment/home）２０２３年10月１日アクセス。(2023).

※9　就業者とは、月末1週間に収入を伴う仕事を1時間以上した者、又は月末1週間に仕事を休んでいた者。

※10　総務省統計局：2高齢者の就業（https://www.stat.go.jp/data/topics/topi1322.html）２０２３年10月１日アクセス。(2022).

※11　高齢者の就業率は、65歳以上人口に占める就業者の割合。

※12　年齢階級別就業率は、各年齢階級の人口に占める就業者の割合。

15歳以上の就業者総数に占める高齢就業者の割合は、前年と同率の13・5％と、比較可能な１９６８年以降過去最高となっている。

※13　前掲注10と同。

※14　厚生労働省：2．給付の見直しの手法（https://www.mhlw.go.jp/www1/houdou/0912/h1205-2d.html#:~:text=%E3%81%B8%E3%81%AE%E5%BC%95%E4%B8%8A%E3%81%92-,%E8%80%81%E9%BD%A2%E5%9F%BA%E7%A4%8E%E5%B9%B4%E9%87%91%E3%83%BB%E8%80%81%E9%BD%A2%E5%8E%9A%E7%94%9F%E5%B9%B4%E9%87%91%EF%BC%88%E6%9C%AC%E6%9D%A5%E6%94%AF%E7%B5%A6%EF%BC%89%E3%81%AE,%E3%81%9A%E3%81%A4%EF%BC%96%EF%BC%97%E6%AD%B3%E3%81%AB%E5%BC%95%E3%81%8D%E4%B8%8A%E3%81%92%E3%82%8B%E3%80%82）２０２３年10月１日アクセス。（2000）．

※15　厚生労働省：高年齢者雇用対策の概要（https://www.mhlw.go.jp/stf/seisakunitsuite/bunya/0000137096.html）２０２３年６月19日アクセス。（2021）．

※16　内閣府：令和４年度版高齢社会白書（https://www8.cao.go.jp/kourei/whitepaper/w-2022/zenbun/pdf/1s2s_01.pdf）２０２３年６月25日アクセス。（2022）．

※17　前掲注16と同。

※18　厚生労働省：令和３年度被保護者調査：月次調査（確定値）結果の概要（https://www.mhlw.go.jp/toukei/list/74-16b.html）２０２３年10月１日アクセス。（2022）．

※19　東京しごとセンター：地域の無料職業紹介所　アクティブシニア就業支援センター（https://www.tokyoshigoto.jp/senior/activesenior/）２０２３年10月１日アクセス。（2023）

※20　前掲注19と同。

※21　前掲注10と同。

※22　厚生労働省：制度の紹介（https://www.mhlw.go.jp/stf/seisakunitsuite/bunya/0000073432.html）２０２３年10月１日アクセス。（2015）．

※23　厚生労働省：公益社団法人全国老人福祉施設協議会について（https://www.mhlw.go.jp/content/12201000/

00065699.pdf） ２０２３年10月１日アクセス。(2020).

※24 前掲注24と同。

※25 ＮＰＯ法人りぷりんと・ネットワーク（https://www.nporeprints.com/） ２０２３年10月１日アクセス。(2023).

※26 厚生労働省：平均寿命と健康寿命（https://www.e-healthnet.mhlw.go.jp/information/hale/h-01-002.html#:~:text=%E5%B9%B3%E5%9D%87%E5%AF%BF%E5%91%BD%E3%81%A8%E3%81%AF%E3%80%8C0,%E6%AD%B3%E3%81%A8%E3%81%AA%E3%81%A3%E3%81%A6%E3%81%84%E3%81%BE%E3%81%99%E3%80%82） ２０２３年10月１日アクセス。(2022).

※27 前掲注27と同。

※28 公益財団法人健康長寿ネット：身体的特徴（https://www.tyojyu.or.jp/net/kenkou-tyoju/kenkou-undou/shintai-teki-tokucho.html） ２０２３年10月１日アクセス。(2023).

※29 公益財団法人健康長寿ネット：老化（https://www.tyojyu.or.jp/net/kenkou-tyoju/rouka/nou-keitai.html#:~:text=%E8%84%B3%E3%81%AE%E5%8A%A0%E9%BD%A2%E3%81%AB,%E3%81%AB%E3%81%AA%E3%82%8A%E3%81%BE%E3%81%99%EF%BC%88%E5%86%99%E7%9C%9F%EF%BC%89%E3%80%82） ２０２３年10月１日アクセス。(2023).

※30 厚生労働省：生活習慣病予防（https://www.e-healthnet.mhlw.go.jp/information/metabolic/m-05-001.html#:~:text=%E7%94%9F%E6%B4%BB%E7%BF%92%E6%85%A3%E7%97%85%E3%81%A8%E3%81%AF%E3%80%81%E9%A3%9F%E4%BA%8B%E3%82%84%E9%81%8B%E5%8B%95%E3%80%81%E4%BC%91%E9%A4%8A%E3%80%81,%E7%97%85%E3%81%AB%E5） ２０２３年10月１日アクセス。(2021).

※31 前掲注30と同。

※32 全国健康保険協会：生活習慣病の罹患状況調べ（https://www.kyoukaikenpo.or.jp/~/media/Files/tokushima/2018041304/2018042709/2018091901.pdf） ２０２３年10月１日アクセス。(2016).

※33 日本経済新聞：エーザイ認知症薬「レカネマブ」承認へ厚労省部会了承（https://www.nikkei.com/article/

DGXZQOUA173HM0X10C23A8000000/）２０２３年10月１日アクセス。(2023).

※34　地方独立行政法人東京都健康長寿医療センター研究所：認知症と共に暮らせる社会をつくる（https://www.tmghig.jp/research/topics/201703-3382/）２０２３年10月１日アクセス。(2023).

※35　前掲注34と同。

※36　厚生労働省：共生社会の実現を推進するための認知症基本法について（https://www.mhlw.go.jp/content/12300000/001119099.pdf）２０２３年10月１日アクセス。(2023).

※37　一隅を照らす天台宗：真の平等とは（https://www.tendai.or.jp/houwashuu/kiji.php?nid=218）２０２３年10月１日アクセス。(2020).

※38　前掲注37と同。

※39　前掲注37と同。

※40　世界の民謡・童話：いろは歌（いろはにほへと）歌詞の意味（https://www.worldfolksong.com/songbook/japan/irohauta.html）２０２３年10月１日アクセス。(2023).

※41　広島大学：平野敏彦ＨＰ（https://home.hiroshima-u.ac.jp/hirano/nyumon/iroha.htm）２０２３年10月１日アクセス。(2003).

※42　残念ながら、旧版には記載されている「影」の部分、「雑色雑光雑陰」の部分が、岩波文庫の「仏説阿弥陀経」のワイド版（サンスクリット語）ではがなくなっている。

参考文献

荒川歩・安田裕子・サトウタツヤ　2012.「複線径路・等至性モデルのＴＥＭ図の描き方の一例」『立命館人間科学研究』25、pp. 95–107.

上野栄一　2008.「内容分析とは何か――内容分析の歴史と方法について――」『福井大学医学部研究雑誌』9（1－2）、pp. 1–18.

梅原猛　2020.『日本人の「あの世」観』中央公論新社、pp. 9, 30.
大須賀発蔵　2000.『心の架け橋——カウンセリングと東洋の智慧を繋ぐ——』柏樹社、pp. 1, 32–42.
小川将・鈴木宏幸・高橋知也他　2019.「高齢者ボランティアとの協働によるＳＯＳの出し方に関する教育授業の開発と評価——中学生への３ヶ月持続効果の検討——」『自殺総合政策研究』２(１)、pp. 19–26.
小田利勝　2003.「いまの高齢者は老後の準備を何歳頃に始めたか」『神戸大学発達科学部研究紀要』11(１)、pp. 161–172.
杉浦圭子・村山洋史・野中久美子他　2022.「地域在住高齢者の最長職と現在の就労状況および就労理由との関連に関する研究」『日本公衆衛生雑誌』69(１)、pp. 37–47.
杉澤秀博　2015.「サクセスフル・エイジングとは何か——高齢期の生き方のモデル——」『TASC 37 MONTHLY』476, pp. 12–17.
鈴木征男・小宮信夫・西浦康一郎他　1997.「ライフデザイン【人生設計】の現状とその意識（１９９７年調査）下」『LDI REPORT』12, pp. 5–38.
藤原佳典　2016.「高齢者の就労の現状と課題：高齢求職者と就労支援の視点から」『老年社会科学』38(１)、pp. 94–101.
南潮・鈴木宏幸・倉岡正高他　2015.「都市部における新たな高齢者向け就労支援施設の取り組み」『日本公衆衛生雑誌』62(６)、pp. 281–293.

あとがき

医王仏とも称される釈迦牟尼仏陀が人生の処方箋、四諦八正道を説き、人類最古のカウンセリング、対機説法を用いて人々に、抜苦与楽、転迷開悟の道を開いて下さったのが今から二六〇〇年前。以降、仏教は8万4千の法門とも言われるほど、多くの学派、修行法へと発展したといいます。しかしながら、菩提樹の下で悟った時の釈尊は、自分が悟った内容は一般の人には難解で、誤解されるだろうからと自分一人のものとして留めようとした。それを案じた梵天に衆生の多様性を説かれ、慈悲の心で仏教の智慧を広めると誓われたといいます。仏教は自己を知ること、と言いますが、その自己を知るのは容易ではありません。執着心、我欲の強い自分が四苦八苦を経験しながら思い通りにならない生老病死の苦しみと折り合いをつけられるのは、仏の教えに出遭えたからこそで、釈尊をはじめ、衆生の多様性に沿った悟りの方法を開発して下さった祖師たちのご苦労があってのことです。

しかしながら、実際に愛別離苦、怨憎会苦などの苦しみに出遭うと、仏の教えを既に聴いていたとしても、苦しいのです。辛いのです。はい、そうですね。とは納得できないのです。頭では分かっていても、心がついていかないのです。そんな時、冷え切った心に温かく寄り添い、傾聴してくれる人の存在が必要なのです。これは、私自身が人生の危機に直面した時のことです。仏教的カウンセリングの必要を痛感しました。社会に適応できない苦しみで、カウンセリングや心理療法、分析を受けることは自分を知るための助けになるでしょう。さらに、災害や病気に遭い、なぜこんな目に遭わなければならないんだ、というような、答えの出ない問題に翻弄されている時には、仏教の「同事」の心で支えてくれる人に恵まれることは重要です。その後の人生観、死生観に大きな影響を与えられることでしょう。私たちの社会はますます多様化、複雑化するでしょうが、医療、教育、福祉等の現場で、仏教的視座を実践に生かせる知識と技術が、皆が安穏に共存できる社会づくりの一端を担うことは間違いないでしょう。仏教心理学の可能性を伝えるため、学会の役割として、本書が出版されましたことに、心より感謝します。学会創設に関わり、発展に寄与して下さった先輩方、研究、実践を通して人々の悩みに心を向けておられる執筆者の先生方、そして、仏教心理学会の活動にご助力いただいている会員の皆様に、厚く御礼申し上げます。

本書の帯文に、医療界より、東京慈恵会医科大学森田療法センター名誉センター長の中村敬先生、仏教界より全国青少年教化協議会代表執行理事で、臨床仏教研究所主幹の神仁先生に、お言葉を頂きました。私は、精神・心理療法と臨床仏教の活動で、先生方とそれぞれご縁を頂いていましたが、中村先生、神先生もまた、慈恵会医科大学付属病院を通じて、かねてからご縁があったとのこと、仏教心理学を後押ししてくれる不思議な力を感じずにはおられません。大変お忙しい中、帯文の執筆をご快諾頂いた中村先生、神先生、本当にありがとうございました。

最後に、晃洋書房様が出版を引き受けて下さり、坂野美鈴編集者が担当して下さったからこそ、本書が誕生したことに、深い感謝を捧げます。

この本が仏教心理学の種となり、読んで下さる人の心で花となり、世界に広がりますように。慈悲と共感の心で、この地球が満たされることを、願わずにはいられません。

二〇二四年二月

千石真理

松 永 博 子（まつなが　ひろこ）〔第７章〕

桜美林大学大学院老年学研究科博士後期課程満期退学後，修了，博士（老年学）.

現在，地方独立行政法人東京都健康長寿医療センター研究所社会参加とヘルシーエイジング研究チーム特任研究員.

主要業績

『ジェロントロジー・ライブラリーII　高齢者の就業と健康』社会保険出版社，pp. 88-102，2016年.

「専門職支援に向けた高齢者の就労支援窓口「ジョブカフェ」の試み」『日本世代間交流学会誌』9(1)，pp. 29-34，2019年.

鮫島有理（さめじま　ゆり）〔第４章〕
目白大学大学院心理学研究科臨床心理学専攻修士課程修了，東洋大学大学院文学研究科インド哲学仏教学専攻博士後期課程単位取得退学.
現在，人間総合科学大学人間科学部，同大学大学院人間総合科学研究科専任講師，臨床心理士，公認心理師.

主要業績

「次第説法とはどのような説法か――施論，戒論，生天論は誰に説かれるのか？――」『印度學佛教學研究』66(1)，pp. 415-412，2017年.
「大学生における注意欠如・多動性障害傾向と自閉症スペクトラム障害傾向の関係について」(共著)，『帝京科学大学総合教育センター紀要総合学術研究』４，pp. 11-15，2021年.

鈴木康広（すずき　やすひろ）〔第５章〕
京都大学医学部医学科卒業，博士（教育学）.
現在，佛教大学教育学部教授，精神科医，ユング派分析家.

主要業績

『宗教と心理学――宗教的啓示と心理学的洞察の対話――』創元社，2011年.
『個性化プロセスとユング派教育分析の実際』遠見書房，2018年.
『砂の癒し・イメージ表現の力――トラウマ，発達障害，ADHD をもつクライエントとの箱庭療法――』(監修)，ナカニシヤ出版，2021年.

岩瀬真寿美（いわせ　ますみ）〔第６章〕
名古屋大学大学院教育発達科学研究科博士課程修了，博士（教育学）.
現在，同朋大学社会福祉学部准教授.

主要業績

『人間形成における「如来蔵思想」の教育的道徳的意義』国書刊行会，2011年.
『イチからはじめる道徳教育』(共著)，ナカニシヤ出版，2017年.
『教育原理を組みなおす――変革の時代をこえて――』(共著)，名古屋大学出版会，2021年.

《執筆者紹介》（執筆順，＊は編著者）

ケネス田中（けねす　たなか）〔第１章〕

カリフォルニア大学大学院文学研究科博士後期課程修了（仏教学 Ph.D.）.
武蔵野大学名誉教授.

主要業績

『真宗入門』島津恵正訳，法藏館，2003年.
『アメリカ　マインドを変える仏教入門』春秋社，2016年.
『目覚めるアメリカ仏教』武蔵野大学出版，2022年.

＊千石真理（せんごく　まり）〔第２章〕

鳥取大学大学院医学系研究科博士課程修了（精神行動医学分野　医学博士）.
公認心理師・浄土真宗本願寺派僧侶.
現在，心身めざめ内観センター主宰，公立鳥取環境大学・神戸常盤大学非常勤講師，
京都中央仏教学院相談室心理カウンセラー.

主要業績

『幸せになるための心身めざめ内観』佼成出版社，2017年.
『仏教は心の悩みにどう答えるのか』（共著），晃洋書房，2022年.
『内観法・内観療法の実践と研究』（共著），朱鷺書房，2023年.

山口　豊（やまぐち　ゆたか）〔第３章〕

筑波大学大学院人間総合科学研究科３年制博士課程修了，博士（ヒューマン・ケア科学）.
現在，東京情報大学大学院総合情報学研究科教授（ヘルスケア情報系列）.
日本精神保健社会学会会長，公認心理師，臨床心理士，高野山真言宗僧侶.

主要業績

「自己カウンセリングシートの心理的予防効果について――森田療法式と論理療法式――」（共著），『メンタルヘルスの社会学』25，pp. 3-15，2019年.
「授業前10分間リラクゼーション法による身体心理効果について――体操・自己マッサージ・呼吸法・瞑想法――」（共著），『メンタルヘルスの社会学』26，pp. 11-17，2020年.
「「臨床瞑想法」による心理支援に関する研究――宗教性深化という視点から――」（共著），『スピリチュアル研究』７，pp. 133-142，2023年.

仏教心理学入門

2024年 3 月30日　初版第 1 版発行
＊定価はカバーに表示してあります

編著者　千 石 真 理©
発行者　萩 原 淳 平
印刷者　田 中 雅 博

発行所　株式会社　晃 洋 書 房
〒615-0026　京都市右京区西院北矢掛町 7 番地
電話　075（312）0788番㈹
振替口座　01040-6-32280

装幀　（株）クオリアデザイン事務所
印刷・製本　創栄図書印刷（株）
ISBN978-4-7710-3816-5